KARL MARX

LE CAPITAL

❷

PERSONNAGES PRINCIPAUX

LE CAPITAL

❷

« DANS
LE CAPITALISME
SE CACHE
UN MONSTRE
AFFAMÉ ET NE
CONNAISSANT
PAS LA
SATIÉTÉ... »

FRIEDRICH ENGELS

Il vous servira de guide tout au long de ce volume. C'est lui, qui, après la mort de Karl Marx, a rédigé les livres deux et trois de Das Kapital, d'après les notes de Marx.

KARL MARX

Karl Marx, de nationalité allemande, est connu pour sa conception matérialiste de l'histoire, sa description des rouages du capitalisme, et pour son activité révolutionnaire au sein des organisations ouvrières en Europe.

ROBIN
Directeur d'une fabrique de fromages. Il émet de sérieuses réserves concernant le capitalisme.

KARL
Un ouvrier travaillant dur pour nourrir sa famille.

LE BANQUIER, MONSIEUR GOLD
Dirigeant d'une grande banque.

DANIEL
Jeune investisseur puissant, aux dents longues. Il contrôle les hommes comme les pièces d'un échiquier avec stratégie et froideur.

LE DIRECTEUR
Directeur d'une usine de machines, il n'a de cesse de vouloir s'enrichir.

SOMMAIRE

"LA RICHESSE DES SOCIÉTÉS DANS LESQUELLES RÈGNE LE CAPITALISME SE PRÉSENTE COMME UNE GIGANTESQUE ACCUMULATION DE MARCHANDISES..."

LA PLUS-VALUE

Das kapital

KARL MARX

FRIEDRICH ENGELS

LES SOCIÉTÉS CAPITALISTES CROULENT SOUS LES OBJETS À VENDRE...

ET ELLES N'ONT DE CESSE DE PRODUIRE, TOUJOURS ET ENCORE, DE NOUVELLES CHOSES...

L'ACHAT DE "MARCHANDISES" EST CENSÉ ASSOUVIR NOS DÉSIRS MATÉRIELS...

MAIS NOS ENVIES SONT SANS LIMITES, INSATIABLES...

NE SERAIT-CE PAS SUR NOS FAIBLESSES QUE REPOSE LE CAPITALISME ?

ET QUELLES SONT CES FAMEUSES MARCHANDISES QUI AFFLUENT DANS CE SYSTÈME CAPITALISTE ?

PUISQUE KARL MARX N'EST PLUS DE CE MONDE, LAISSEZ-MOI VOUS EXPLIQUER...

FRIEDRICH ENGELS.

IL EXISTE DEUX NOTIONS FONDAMENTALES DE "VALEUR" D'UNE MARCHANDISE.

BRRR !

BRRR !

J'AI FROID !

VOICI DEUX NAUFRAGÉS AFFAMÉS DANS LE GRAND NORD.

AARGH !

J'AI PRÉPARÉ POUR L'OCCASION UNE BAGUETTE ET UN DIAMANT...

MA TANTE !

IL EST FOU, LUI ?

CHERS AMIS, FAITES VOTRE CHOIX !

ENTRE LE PAIN ET LE BIJOU, LEQUEL CHOISISSEZ-VOUS ?

LE PAIN !

MOI AUSSI !

VOUS VOYEZ ? POUR DEUX AFFAMÉS...

... LE DIAMANT N'A AUCUNE VALEUR...

IL EXISTE DONC UNE CHOSE QUE NOS PERCEPTIONS PROPRES ET SITUATIONS PERSONNELLES RENDENT IMPOSSIBLES À DÉFINIR...

C'EST CE QU'ON APPELLE "LA VALEUR D'USAGE" !

HÉ !

DONNE !

SI VOUS AVEZ FAIM, CE SERA L'ALIMENT...

SI VOUS VOUS RENDEZ À UNE FÊTE, CE SERA LE DIAMANT...

POURTANT, ON A DONNÉ À CHAQUE OBJET UNE VALEUR CHIFFRÉE...

1 DIAMANT = 10.000 BAGUETTES

CE SYSTÈME, SE VOULANT OBJECTIF, EST APPELÉ "VALEUR D'ÉCHANGE".

MAIS POURQUOI LA VALEUR MARCHANDE DU DIAMANT EST-ELLE À CE POINT SI SUPÉRIEURE AU PAIN ?

UN DIAMANT, RARE, NÉCESSITE DE LABORIEUSES FOUILLES...

... PUIS D'ÊTRE TAILLÉ AVEC UNE PRÉCISION INCROYABLE...

IL EST INDÉNIABLE QUE LE TEMPS ET LA MAIN-D'ŒUVRE POUR OBTENIR UN BEAU DIAMANT SONT BIEN PLUS IMPORTANTS QUE POUR LA CONFECTION D'UNE BAGUETTE DE PAIN.

C'EST UNE RAISON EXPLIQUANT POURQUOI LA VALEUR D'ÉCHANGE DU DIAMANT EST SI IMPORTANTE.

RÉCAPITULONS. UNE MARCHANDISE A DONC DEUX VALEURS.

L'UTILITÉ D'UNE CHOSE, QUI DIFFÈRE SELON LES BESOINS, LES CULTURES, LES OPINIONS, FAIT SA "VALEUR D'USAGE".

NE VOUS TROMPEZ PAS !

ZVIP !

MIAM

PUIS LA "VALEUR D'ÉCHANGE", QUI RENFERME UNE QUANTITÉ DÉTERMINÉE DE TRAVAIL.

ON PARLE D'AILLEURS "DU TRAVAIL ABSTRAIT" POUR RÉSUMER LE TOTAL DU TEMPS ET DE LA PEINE DE LA MAIN-D'ŒUVRE UTILISÉS POUR UNE MARCHANDISE.

FIOUU

PLUS CE TRAVAIL ABSTRAIT SERA IMPORTANT, PLUS LA "VALEUR D'ÉCHANGE" DE L'OBJET SERA GRANDE.

MAIS VOUS ALLEZ VOIR...

QUE LA NOTION DE "VALEUR" POSE D'AUTRES PROBLÈMES...

BLURP !

REVENONS À L'ÉPOQUE DU TROC...

TU M'ÉCHANGES QUATRE POISSONS CONTRE MON MORCEAU DE TISSU ?

HMM...

NON, J'EN AI DÉJÀ SUFFISAMMENT...

DÉSOLÉE !

OUI MAIS J'AI FAIM...

OK...

SI TU ME DONNES QUATRE MORCEAUX DE TISSU, JE VEUX BIEN RECONSIDÉRER LA QUESTION...

HÉ HÉ HÉ

QUATRE ?!? JE CROYAIS QUE TU EN AVAIS DÉJÀ ASSEZ...

HEU... OUI OUI ! C'EST VRAI, J'AI DÉJÀ CE QU'IL ME FAUT...

VOUS VOYEZ...

HMMM...

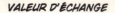

VALEUR D'ÉCHANGE

SI LA VALEUR D'ÉCHANGE D'UN MORCEAU DE TISSU VAUT EFFECTIVEMENT QUATRE POISSONS...

 =

QUATRE POISSONS = DU TISSU

... L'UTILITÉ CONCRÈTE QU'EN RETIRERONT LES DIFFÉRENTES PERSONNES N'EST PAS LA MÊME. AUTREMENT DIT, LA VALEUR D'USAGE ÉTANT TROP DIFFÉRENTE, LE TROC NE PEUT AVOIR LIEU...

C'ÉTAIT DIFFICILE À TISSER !

D'ACCORD, MAIS JE N'EN AI PAS BESOIN !

DANS CE CAS, QUE VEUX-TU CONTRE TES QUATRE POISSONS ?

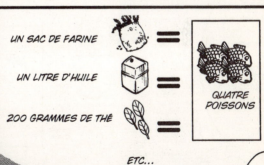

UN SAC DE FARINE =

UN LITRE D'HUILE =

200 GRAMMES DE THÉ =

QUATRE POISSONS

ETC...

TIENS, VOICI CE DONT J'AI BESOIN !

MAIS AU FAIT ! NOTRE MAIRE CULTIVE DU BLÉ, SI JE NE M'ABUSE !

MAISON DU MAIRE.

JE VOUS EN PRIE, TROQUEZ-MOI UN SAC DE FARINE, S'IL VOUS PLAÎT !

IL TIENT VRAIMENT À SON POISSON, LUI !

HEU, OUI, SI TU VEUX...

VU LE TEMPS ET L'EFFORT QUE ÇA M'A DEMANDÉ, JE TE L'ÉCHANGE CONTRE ÇA...

4 POISSONS OU =

1 MORCEAU DE TISSU OU = 1 SAC DE FARINE

1 LITRE D'HUILE   =

ETC...

OH ! TADAM !

PARFAIT ! POUR LUI, MON TISSU VAUT AUTANT QUE LES POISSONS QUE JE DÉSIRE !

L'ÉCHANGE EST DONC POSSIBLE !

MERCI, M'SIEUR !

ATTENDS ! PAS SI VITE !

PUISQUE TOUS LES VILLAGEOIS MANGENT DU PAIN...

... SERVONS-NOUS DE LA VALEUR D'UN SAC DE FARINE POUR BASER TOUS LES ÉCHANGES !

RASSEMBLE TOUT LE MONDE, VEUX-TU ?

HEIN ?

RÉUNION.

SALLE MUNICIPALE

VOICI DONC MON IDÉE...

15

SAC DE BLÉ

= 4 POISSONS

= DU TISSU

= 1 LITRE D'HUILE

ETC...

POUR QU'IL Y AIT UN ÉCHANGE ENTRE LES BIENS, IL FAUT QUE LEURS VALEURS PUISSENT ÊTRE QUANTIFIÉES ET COMPARÉES SUR UNE BASE COMMUNE.

EN IMPOSANT LE BLÉ COMME VALEUR ÉTALON...

HOOO...

... LES DIFFÉRENTES VALEURS D'USAGE SONT DEVENUES COMPARABLES.

LA VALEUR COMMUNE UTILISÉE POUR LES ÉCHANGES S'APPELLE LA "VALEUR ÉTALON".

OOOH!

CLAP

CLAP

CLAP

WAOUH!

L'IDÉE ÉTAIT DONC BONNE ! CEPENDANT...

C'EST LOURD !

TOUS LES JOURS COMME ÇA...

ÇA VA TOMBER !

FAUDRAIT UN TRUC PLUS LÉGER...

HMM...

L'OR !

UNE VALEUR ÉTALON...

... PLUS FACILE AU TRANSPORT ...

1 GRAMME D'OR

= 1 SAC DE FARINE

= DU TISSU

= 4 POISSONS

= 1 LITRE D'HUILE

ETC...

OUI ! C'EST ONÉREUX, MÊME EN PETITE QUANTITÉ !

EN TOUT CAS, LES ÉCHANGES SERONT AUTREMENT PLUS AISÉS !

LA SITUATION S'EST AMÉLIO-RÉE...

LE VILLAGE SE DÉVE-LOPPE...

UN PEU PLUS TARD...

VOYANT QUE LE SYSTÈME FONCTIONNE, LES AUTRES VILLAGES L'ADOPTENT...

LE "MARCHÉ" S'ÉTEND DONC PROGRESSIVEMENT.

BALANCE

8...9...

C'EST BON, Y'A BIEN 10GR ! MERCI !

À LA SEMAINE PROCHAINE !

HMM...

IL FAUT PESER LA MOINDRE TRANSACTION...

Y'A PEUT-ÊTRE MOYEN DE FAIRE ENCORE PLUS PRATIQUE...

L'OR
A DONC ÉTÉ
PESÉ EN
AMONT ET
TRAVAILLÉ...

UN GRAMME D'OR =
UNE PIÈCE D'OR

LE POIDS
A ÉTÉ
GRAVÉ
DIRECTE-
MENT
SUR LA
PIÈCE.

L'OR, QUI
REPRÉSENTAIT
LA "VALEUR
ÉTALON"...

... A DONC
ÉTÉ TRANS-
FORMÉ EN
"MONNAIE
D'ÉCHANGE".

JE VENDS
MON SAC
CONTRE
1 PIÈCE !

WHAAA !

WHAAA !

C'EST PAS
CHER ! MES
QUATRE
POISSONS
VALENT
UNE PIÈCE
!

WHAAA !

WHAAA !

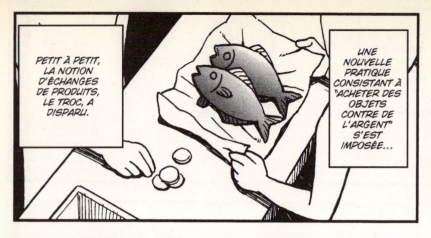

PETIT À PETIT, LA NOTION D'ÉCHANGES DE PRODUITS, LE TROC, A DISPARU.

UNE NOUVELLE PRATIQUE CONSISTANT À "ACHETER DES OBJETS CONTRE DE L'ARGENT" S'EST IMPOSÉE...

CE SYSTÈME ÉTAIT DE LOIN LE PLUS SIMPLE...

VUUUSH

VUUUSH

VUUUSH

VUUUSH

... ET S'EST RAPIDEMENT IMPOSÉ PARTOUT.

MON- SIEUR LE MAIRE !

C'EST TERRIBLE ! LA MINE D'OR EST À SEC ! NOUS N'EN AVONS PLUS !

...

20

JE SAVAIS QUE ÇA FINIRAIT PAR ARRIVER...

MAIS J'AI PENSÉ À UNE SOLUTION...

QUI VEUT MON HUILE POUR 1 PIÈCE D'OR ?

DES GRAINS DE CAFÉ POUR DEUX PIÈCES D'OR !

...

EN FAIT, CES PIÈCES N'ONT PLUS BESOIN D'ÊTRE EN OR...

LES GENS N'ONT PLUS CONSCIENCE DE LA VALEUR DE L'OR...

... MAIS ILS CROIENT DÉSORMAIS EN LA VALEUR DE LEUR MONNAIE.

MÉLANGE DONC L'OR AVEC DU PLOMB !

LA MATIÈRE COMPOSANT LA MONNAIE N'A EN RÉALITÉ AUCUNE IMPORTANCE...

CE QUI IMPORTE, C'EST LA "CONFIANCE" QUE L'ON ACCORDE DANS LA VALEUR DE CETTE MONNAIE.

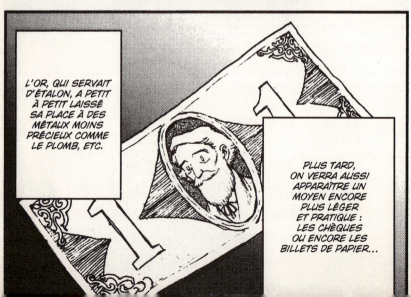

L'OR, QUI SERVAIT D'ÉTALON, A PETIT À PETIT LAISSÉ SA PLACE À DES MÉTAUX MOINS PRÉCIEUX COMME LE PLOMB, ETC.

PLUS TARD, ON VERRA AUSSI APPARAÎTRE UN MOYEN ENCORE PLUS LÉGER ET PRATIQUE : LES CHÈQUES OU ENCORE LES BILLETS DE PAPIER...

ALORS QUE LA MONNAIE N'ÉTAIT QU'UN MOYEN DE FAIRE DES ÉCHANGES...

ELLE EST PETIT À PETIT DEVENUE LA "VALEUR ÉTALON" POUR MESURER TOUS LES PRIX DE CE MONDE.

TOUT CE QUI ÉTAIT À VENDRE SE VOYAIT DONC ATTRIBUER UNE VALEUR EN MONNAIE.

MONEY !!!

ON A ATTRIBUÉ À CES BOUTS DE PAPIER UNE PUISSANCE ET UN POUVOIR CONSIDÉRABLES, PERMETTANT D'ACQUÉRIR DIFFÉRENTES MARCHANDISES...

FINALEMENT, TOUTES LES VALEURS, QU'ELLES SOIENT HUMAINES OU MARCHANDES, ONT ÉTÉ MESURÉES PAR L'ARGENT...

CE DERNIER EST DEVENU NOTRE NOUVEAU DIEU...

L'ARGENT
EST DEVENU
L'ÊTRE TOUT
PUISSANT !

PUIS...

DES GENS
SE SONT MIS
EN TÊTE D'EN
POSSÉDER
LE PLUS
POSSIBLE...

... POUR
DEVENIR
PUISSANTS...

C'EST BIEN, ROBIN ! TU COMMENCES À PRENDRE DU POIL DE LA BÊTE !

COMMENT ?

TON VISAGE RÉAGIT COMME UN VRAI PATRON EN VOYANT TOUTES CES FACTURES ET CES RELEVÉS DE COMPTE...

HA HA HA !

MAINTE-NANT...

J'AIMERAIS VOUS MONTRER CE QU'IL S'EST PASSÉ...

... DANS UNE USINE, PENDANT LA RÉVOLUTION INDUSTRIELLE ...

VOICI ROBIN, PATRON EMPLOYÉ POUR DIRIGER UNE FABRIQUE DE FROMAGE...

ET VOICI DANIEL, L'HOMME QUI A INVESTI DANS CETTE ENTREPRISE ...

LA COMBINAISON DE CES DEUX PERSONNES A FAIT ÉVOLUER L'ARGENT DANS UNE AUTRE DIMENSION...

NOUS ARRIVONS PEU À PEU DANS LE MONDE DU CAPITALISME...

MAIS QU'EST-CE QUE LE CAPITAL ?

LES CAPITALISTES INVESTISSENT DE L'ARGENT AFIN D'ACQUÉRIR DES MOYENS DE PRODUCTIONS, COMME DES MACHINES, AINSI QU'UNE FORCE DE TRAVAIL, COMME DES OUVRIERS.

CELA SERVIRA À PRODUIRE DES MARCHANDI- SES...

... QUI VONT ENSUITE ÊTRE VENDUES CONTRE UNE SOMME D'ARGENT SUPÉRIEURE. CETTE DIFFÉRENCE, C'EST LE PROFIT, OU LA PLUS- VALUE.

GAGNER DE L'ARGENT SIGNIFIE...

INVESTISSEMENT

... RÉUSSIR À VENDRE PLUS CHER.

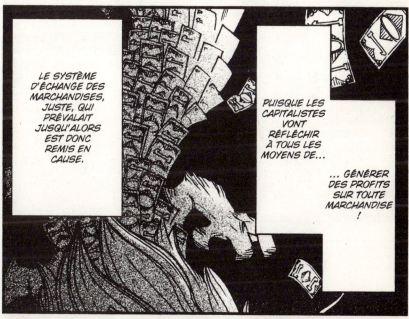

LE SYSTÈME D'ÉCHANGE DES MARCHANDISES, JUSTE, QUI PRÉVALAIT JUSQU'ALORS EST DONC REMIS EN CAUSE.

PUISQUE LES CAPITALISTES VONT RÉFLÉCHIR À TOUS LES MOYENS DE...

... GÉNÉRER DES PROFITS SUR TOUTE MARCHANDISE !

DANS LE CAPITALISME SE CACHE UN MONSTRE AFFAMÉ ET NE CONNAISSANT PAS LA SATIÉTÉ...

ROBIN !

JE SAVAIS QUE JE NE M'ÉTAIS PAS TROMPÉ...

- D'UNE PETITE FABRIQUE, TU ES PARVENU À RÉALISER UNE VÉRITABLE USINE !

TU AS RAPIDEMENT RÉUSSI À GÉNÉRER DE GRANDS PROFITS.

TU PEUX ÊTRE FIER DE CE QUE TU AS ACCOMPLI !

...

30

QUOI ? NE ME DIS PAS QUE TU AS ENCORE DES REMORDS POUR TES OUVRIERS !

DANIEL...

VOUS VOUS SOUVENEZ DE CE QUE VOUS M'AVEZ DIT ?

QUE LES OUVRIERS VENDAIENT LEUR FORCE DE TRAVAIL. QUE C'ÉTAIT POUR EUX LEUR MARCHANDISE À NOUS VENDRE...

QUE NOUS, PATRONS, ACHETONS LEURS SERVICES ET QUE C'EST FINALEMENT GRÂCE À NOUS...

... S'ILS PARVIENNENT À VIVRE.

TOUT À FAIT !

NOUS AUTRES INVESTISSEURS ACHETONS LEUR FORCE DE TRAVAIL.

C'EST DONC GRÂCE À NOTRE ARGENT QU'ILS PARVIENNENT À RESTER DIGNES, À SE NOURRIR ET À S'HABILLER, TOUS LES JOURS, ETC.

PEUT-ÊTRE MAIS NOUS PRODUISONS PLUS QUE CE QUE NOUS LEUR REVERSONS.

NOUS GÉNÉRONS BEAUCOUP DE PROFIT.

CERTES, C'EST GRÂCE À CETTE PLUS-VALUE QUE L'USINE S'EST DÉVELOPPÉE...

MAIS JE N'ARRIVE PAS À ME RÉJOUIR D'UNE TELLE SITUATION...

...

ÉCOUTE, NOUS AVONS UN CAPITAL...

QUE LES OUVRIERS NE POSSÈDENT PAS.

ILS DISPOSENT DE DEUX LIBERTÉS FONDAMEN-TALES...

MON CAPITAL C'EST MON CORPS !

D'UNE PART, CONTRAIREMENT AUX BAGNARDS OU AUX ESCLAVES, ILS SONT LIBRES DE NOUS VENDRE OU PAS LEUR FORCE DE TRAVAIL...

D'AUTRE PART, ILS ONT LA LIBERTÉ DE CHOISIR ET DE QUITTER LEUR USINE QUAND ILS VEULENT.

ICI, PERSONNE NE LES RETIENT ! ET ILS PEUVENT PARTIR TRAVAILLER AILLEURS S'ILS NE SONT PAS CONTENTS.

TU VOIS ? NOUS NE FORÇONS LA MAIN À PERSONNE ! NOUS NE SOMMES PAS DES BOURREAUX !

LA FORCE DE TRAVAIL EST UNE MARCHANDISE COMME UNE AUTRE !

SANS OUBLIER QUE TU SEMBLES ENCORE TE MÉPRENDRE...

TU AS L'AIR DE CROIRE QUE NOUS RÉALISONS DU PROFIT SUR LEUR DOS EN ABUSANT DE LEUR TRAVAIL...

CE QUI N'EST PAS FAUX !

ALORS QUE TU VOIS BIEN, CE N'EST PAS LE CAS...

MAINTENANT, VOYONS ENSEMBLE COMMENT LE CAPITALISTE UTILISE UNE MARCHANDISE NOMMÉE FORCE DE TRAVAIL...

... POUR GÉNÉRER DU PROFIT QUI LUI REVIENDRA DIRECTEMENT.

TEMPS DE TRAVAIL ABSTRAIT

PAYE

1 JOUR

1G

POUR SIMPLIFIER LES CHOSES, DISONS QUE LE SALAIRE D'UNE JOURNÉE DE TRAVAIL EST DE 1 GOLD... (1G)

IMAGINONS ÉGALEMENT QU'EN UNE JOURNÉE, UN OUVRIER EST CAPABLE DE RÉALISER UNE CHAISE.

ON PEUT DONC LOGIQUEMENT ESTIMER QUE LE COÛT DE CETTE CHAISE, EN TERMES DE FORCE DE TRAVAIL, EST DE 1G.

UNE CHAISE

TRAVAIL NÉCESSAIRE

UNE MACHINE POUR LA FABRICATION COÛTERA 20G.

DISONS ENSUITE QU'ELLE EST CAPABLE DE PRODUIRE QUATRE CHAISES AVANT DE DEVOIR ÊTRE CHANGÉE. LE PRIX UNITAIRE POUR CHAQUE EXEMPLAIRE SERA DONC DE 5G.

20 G : 4 CHAISES = 5 G

ENFIN, ESTIMONS QUE LE COÛT DES MATIÈRES PREMIÈRES POUR CHAQUE UNITÉ DE 4G...

MATIÈRES PREMIÈRES

JE VOUS PROPOSE 1G POUR 8 HEURES DE TRAVAIL, VOUS ACCEPTEZ ?

JE VENDS MA FORCE DE TRAVAIL

OK !

TRÈS BIEN ! MAIS TOUT D'ABORD, VOUS ALLEZ FAIRE UNE PÉRIODE D'ESSAI DE QUATRE HEURES...

PENDANT LE BOULOT.

SUPER ! 1G PAR JOUR, C'EST SUFFISANT POUR VIVRE !

SURTOUT QUE C'EST UN BOULOT FACILE ! C'EST MA CHANCE !

HMM, COOL ! IL EST VISIBLEMENT CAPABLE DE FABRIQUER UNE CHAISE EN QUATRE HEURES, LUI...

COÛT TOTAL D'UNE CHAISE RÉALISÉE EN 4 HEURES

SALAIRE JOURNALIER **1G** } **1G**

MATIÈRE **4G**

MATÉRIEL **5G** } **9G**

VALEUR D'ÉCHANGE D'UNE CHAISE : **10G**

PUISQUE LA FABRICATION D'UNE CHAISE COÛTE AU TOTAL 10G...

... LA VALEUR D'ÉCHANGE DE CETTE MARCHANDISE EST DONC LOGIQUEMENT DE 10G !

MAIS VENDUE À CE PRIX-LÀ, ELLE NE DÉGAGERA AUCUN PROFIT...

QUELQUES JOURS PLUS TARD...

ON DIRAIT QUE TU T'ES BIEN HABITUÉ...

COMME CONVENU, JE TE PROPOSE DONC DE TRAVAILLER 8 HEURES POUR 1G...

OUI...

D'ACCORD...

...

C'EST LÀ QUE SE TROUVE L'ASTUCE...

LA LOGIQUE VOUDRAIT QUE SI LA VALEUR D'ÉCHANGE D'UNE CHAISE EST DE 10G, ALORS POUR DEUX, ELLE DEVRAIT ÊTRE DE 20G !

COÛTS DE DEUX CHAISES RÉALISÉES EN 8 HEURES

SALAIRE 1G } 1G CAPITAL VARIABLE

MATIÈRE 8G

MATÉRIEL 10G } 18G CAPITAL CONSTANT

FINALEMENT, LA VALEUR D'ÉCHANGE EST 19G

EN FAISANT FABRIQUER DEUX CHAISES PAR JOUR À UN OUVRIER...

... VOUS VOUS RENDEZ AINSI COMPTE QU'IL RESTE 1G.

C'EST CE QU'ON APPELLE LA "PLUS-VALUE".

VOILÀ COMMENT LES CAPITALISTES, EN RESPECTANT POURTANT LEURS ENGAGEMENTS VIS-À-VIS DE LEURS EMPLOYÉS...

TRAVAIL GLOBAL

TRAVAIL NÉCESSAIRE + PLUS-VALUE

CAPITAL VARIABLE

... PARVIENNENT À GÉNÉRER DE LA PLUS-VALUE EN S'APPLIQUANT SUR LE CAPITAL VARIABLE.

MENTEUR ! ON PROFITE DONC DU FRUIT DE MON LABEUR !

ÇA N'EST DONC PLUS UNE VRAIE "VALEUR D'ÉCHANGE" !

TU AS RAISON, ET POURTANT ILS RESPECTENT LEURS ENGAGEMENTS CONTRACTUELS !

POUR LA SIMPLE ET BONNE RAISON QUE LES CAPITALISTES RÉMUNÈRENT UNIQUEMENT TA FORCE DE TRAVAIL.

"LE PRIX DE LA FORCE DE TRAVAIL".

LE SALAIRE EST ATTRIBUÉ À L'OUVRIER EN CONTREPARTIE DE SON TRAVAIL EFFECTUÉ, MAIS IL NE RÉTRIBUE EN FAIT QUE LE TRAVAIL NÉCESSAIRE (ET NON LA PLUS-VALUE). TOUTEFOIS, IL DONNE L'IMPRESSION À L'OUVRIER QUE C'EST SON TRAVAIL DANS SON INTÉGRALITÉ QUI EST PAYÉ.

LE TRAVAIL DU CAPITALISTE EST DE PARVENIR À UTILISER AU MIEUX LA FORCE DE TRAVAIL DE SES EMPLOYÉS POUR QU'ILS SOIENT LE PLUS PRODUCTIF ET CRÉENT LE PLUS DE VALEUR POSSIBLE.

DISONS POUR RÉSUMER QUE...

"LA FORCE DE TRAVAIL" ET LE "RÉSULTAT DU TRAVAIL" SONT DEUX CHOSES DIFFÉRENTES.

IMAGINEZ UN CHAMEAU QUE VOUS NOURRISSEZ DE LA MÊME FAÇON TOUS LES JOURS. MAIS SI VOUS PARVENEZ À MAXIMISER SA FORCE DE TRAVAIL, LA RICHESSE GÉNÉRÉE SERA DONC BIEN SUPÉRIEURE.

LA NOURRITURE QUOTIDIENNE (SA VALEUR D'ÉCHANGE) AURA BEAU ÊTRE IDENTIQUE, SI VOUS LE CHARGEZ PLUS (SA VALEUR D'USAGE), LE RÉSULTAT AUGMENTE !

LES MACHINES NE PEUVENT EN AUCUN CAS PRODUIRE DE TELS EFFETS.

PARCE QU'ELLES NE TRAVAILLENT QUE PROPORTIONNELLEMENT À L'ÉNERGIE QUE VOUS LEUR DONNEZ.

IMAGINEZ UNE MACHINE QUI PRODUIRAIT TOUT AUTOMATIQUEMENT ...

AVEC ELLE, LE CAPITAL VARIABLE N'EXISTE PAS.

CE QUE LES CAPITALISTES ONT RAPIDEMENT COMPRIS...

... C'EST QUE LE PROFIT NÉ D'UN CAPITAL VARIABLE NE PEUT ÊTRE AUGMENTÉ QUE PAR LE BIAIS DE SA MAIN-D'ŒUVRE HUMAINE. DONC DE SES TRAVAILLEURS !

NOUS RESPECTONS NOTRE CONTRAT.

REGARDE NOS OUVRIERS ! ILS ONT TOUS DE QUOI VIVRE TOUS LES JOURS !

NOUS AUSSI AVONS BESOIN DE VIVRE EN GÉNÉRANT DES BÉNÉFICES !

CES MÊMES BÉNÉFICES NOUS PERMETTRONT D'INVESTIR PLUS TARD POUR DÉVELOPPER OU AGRANDIR NOTRE USINE.

ET ÇA NOUS PERMETTRA D'EMBAUCHER ENCORE PLUS DE MONDE.

CE BÉNÉFICE CONTRIBUE DONC AU BIEN-ÊTRE SOCIAL !

NE REGARDE PAS QUE LE BOUT DE TON NEZ !

OUVRE TON REGARD SUR L'AVENIR...

OUVRIR MON REGARD...

AUGMEN-TER LES BÉNÉFICES ...

AGRAN-DIR L'USINE ...

FAIRE DE NOUVELLES EMBAUCHES ...

CONTRI-BUER AU BIEN-ÊTRE GÉNÉRAL ...

...

QUE JE M'OUVRE ENCORE PLUS...

NOUS DEVONS MODERNISER NOS MACHINES...

... ET DÉVE-LOPPER DE NOUVEAUX PRODUITS !

DE
NOUVEAUX
PRODUITS
?

PLUTÔT
QUE DE
PERDRE
DU TEMPS
À LEUR
DÉVELOP-
PEMENT...

... NE
PENSEZ-VOUS
PAS QUE VOUS
DEVRIEZ FAIRE
TRAVAILLER
ENCORE PLUS
LES OUVRIERS
POUR GÉNÉRER
DE NOUVEAUX
BÉNÉFICES ?

...

NON...

NOS
OUVRIERS
NE SONT
QUE DES
HOMMES...

ILS ONT DÉJÀ
ATTEINT LEURS
LIMITES ET
NOUS NE
POURRONS
PAS LES FAIRE
TRAVAILLER
DAVANTAGE.

DANS UN PREMIER TEMPS, IL EST NÉCESSAIRE DE S'ÉQUIPER AVEC DE NOUVELLES MACHINES, BIEN PLUS PERFORMANTES QUE CELLES QUE NOUS POSSÉDONS AUJOURD'HUI.

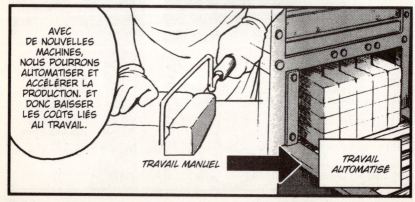

AVEC DE NOUVELLES MACHINES, NOUS POURRONS AUTOMATISER ET ACCÉLÉRER LA PRODUCTION. ET DONC BAISSER LES COÛTS LIÉS AU TRAVAIL.

TRAVAIL MANUEL

TRAVAIL AUTOMATISÉ

TEMPS DE TRAVAIL GÉNÉRAL

SITUATION ACTUELLE

| TEMPS DE SURTRAVAIL | TEMPS DE TRAVAIL NÉCESSAIRE |

AVEC NOUVELLES MACHINES

| TEMPS DE SURTRAVAIL | TEMPS DE TRAVAIL NÉCESSAIRE |

HAUSSE DU PROFIT — BAISSE DES COÛTS

SANS POUR AUTANT BAISSER LE TEMPS DE TRAVAIL GÉNÉRAL, SI NOUS PARVENONS À OPTIMISER LE TEMPS DE TRAVAIL NÉCESSAIRE GRÂCE AUX MACHINES, ALORS VOUS CONSTATEZ QUE NOUS PARVIENDRONS À AUGMENTER LES PROFITS GÉNÉRÉS.

CERTES, MAIS SI NOS CONCURRENTS FONT L'ACQUISITION DES MÊMES MACHINES, ALORS NOUS ALLONS DEVOIR NOUS LANCER DANS UNE GUERRE DES PRIX QUI FERA BAISSER NOS BÉNÉFICES.

CELA NE SE PASSERA PAS COMME ÇA...

PARCE QUE CES NOUVELLES MACHINES...

... NOUS ALLONS LES DÉVELOPPER NOUS-MÊMES !

COMME LA FORCE DE TRAVAIL EST LIMITÉE, ESSAYONS DE DIMINUER LA VALEUR DU TRAVAIL NÉCESSAIRE EN AUGMENTANT LA PRODUC-TIVITÉ.

NOUS POUVONS SÛREMENT Y PARVENIR, PAR L'AMÉLIORATION DE LA DIVISION DU TRAVAIL OU PAR L'AUTO-MATISATION, PAR EXEMPLE.

HO HO...

C'EST CE QU'ON APPELLE LA MAXIMISATION DE LA PLUS-VALUE RELATIVE !

NOUS ALLONS MONOPOLISER LE MARCHÉ !

DÉVELOPPER DES PRODUITS UNIQUES ET INÉDITS...

AVEC UNE TECHNOLOGIE QUE SEULS NOUS POSSÈDERONS, NOUS ALLONS PRODUIRE EN MASSE.

TOUS LES BÉNÉFICES ENGENDRÉS SERVIRONT À AGRANDIR L'USINE.

ET NOUS POURRONS AINSI DONNER DU TRAVAIL À D'AUTRES PERSONNES...

ET CELA AURA ENSUITE POUR CONSÉQUENCE DE BAISSER D'AUTANT PLUS LA VALEUR DE LA FORCE DE TRAVAIL, HÉ HÉ HÉ...

C'EST PARFAIT.

POUR PARVENIR À CE BRILLANT RÉSULTAT, NOUS AURONS BESOIN DE DEUX CHOSES...

LA "COOPÉRA-TION".

ET LA "DIVISION DU TRAVAIL".

AUGMENTONS NOS CAPITAUX EN FUSIONNANT AVEC D'AUTRES SOCIÉTÉS...

C'EST LE POINT NUMÉRO 1, CRÉER UN MONOPOLE...

LE SECOND POINT SERA D'ÉTABLIR UNE BONNE DIVISION DU TRAVAIL.

AUTREMENT DIT, NOUS ALLONS AGRANDIR NOTRE CHAMP D'ACTION PUIS LE DIVISER POUR LE RENDRE PLUS COMPÉTITIF.

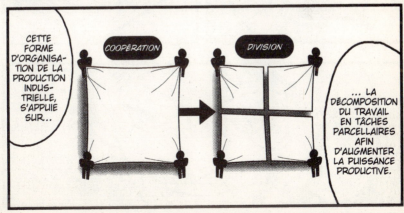

CETTE FORME D'ORGANISATION DE LA PRODUCTION INDUSTRIELLE, S'APPUIE SUR..

COOPÉRATION

DIVISION

... LA DÉCOMPOSITION DU TRAVAIL EN TÂCHES PARCELLAIRES AFIN D'AUGMENTER LA PUISSANCE PRODUCTIVE.

EN LA DIVISANT, NOUS ALLONS AINSI SIMPLIFIER LA TÂCHE DES OUVRIERS. LEUR RÔLE N'EN SERA QUE PLUS BASIQUE.

PEU IMPORTE LEUR ÂGE OU LEUR EXPÉRIENCE, N'IMPORTE QUI POURRA TRAVAILLER CHEZ NOUS.

COMME LE BOULOT EST FACILE ET RAPIDE, ON PARVIENDRA À BAISSER D'AUTANT LES COÛTS LIÉS À LA FORCE DE TRAVAIL.

AJOUTÉS AUX PROGRÈS TECHNOLO- GIQUES QUI RENDENT LA PRODUCTION PLUS EFFICACE...

... NOUS N'Y VOYONS QUE DES AVANTAGES !

OUI... POUR LES CAPITALISTES, CE SYSTÈME N'OFFRE QUE DES AVANTAGES...

LE COÛT DU TRAVAIL BAISSE ET CELA ENTRAÎNE ÉVIDEMMENT UNE AUGMENTATION DE LA PLUS-VALUE...

MAIS CE TRAVAIL RENDU POSSIBLE SANS QUALIFICATION SIGNIFIE AUSSI QU'AUCUN OUVRIER N'EST IRREMPLAÇABLE !

ET C'EST CE QUI FAIT LE POUVOIR DU CAPITALISTE !

ILS DISPOSENT D'AUTANT DE MAIN-D'ŒUVRE QU'ILS VEULENT...

... À LEUR GUISE...

JE VOIS...

VOTRE PROJET EST TRÈS CLAIR. JE VOUS OCTROIE CE FINANCEMENT...

LA RECHERCHE DU PROFIT ET LA SURPRODUCTION

JE COMPTE BEAUCOUP SUR VOUS, MONSIEUR DANIEL !

NOUS SERONS AMENÉS À NOUS REVOIR POUR RÉGLER LES INTÉRÊTS DE L'EMPRUNT...

OUI...

MONSIEUR GOLD...

PARDON-NEZ-MOI...

QUOI ?

CE MONSIEUR DÉSIRE UN FINANCEMENT ET...

ENCORE CE TYPE ET SON ATELIER DE PACOTILLE ?

METTEZ-LE DEHORS UNE BONNE FOIS POUR TOUTE !

MONSIEUR DANIEL...

... REVENONS À NOS AFFAIRES...

VEUILLEZ VÉRIFIER CE CONTRAT ET SIGNEZ-LE...

MON-SIEUR GOLD !

JE VOUS EN SUPPLIE ! PRÊTEZ-MOI UN PEU D'ARGENT !

SANS VOUS, MA PETITE SOCIÉTÉ FERA FAILLITE !

J'AI JUSTE BESOIN D'UN PETIT PRÊT POUR METTRE EN PLACE MA STRATÉGIE ! ET ÇA MARCHERA !

COMMENCEZ D'ABORD PAR FAIRE VOS PREUVES...

LES MÉTIERS DE LA BANQUE, C'EST AUSSI DU BUSINESS ! ON NE PRÊTE PAS D'ARGENT À TOUR DE BRAS...

MAIS... J'ESSAIE DE FAIRE MES PREUVES ! MAIS FACE AUX GROS DU SECTEUR...

ÉCOUTEZ ! J'ESSAIE MOI AUSSI DE ME DIVERSIFIER ET DE ME LANCER DANS DE NOUVEAUX MARCHÉS, MAIS...

S'IL VOUS PLAÎT ! MONSIEUR !

IL SUFFIT DE REGARDER CET HOMME POUR COMPRENDRE QU'IL N'A PAS L'AIR TRÈS COMPÉTENT...

PARDONNEZ-MOI POUR CE RAFFUT...

BIEN, OÙ EN ÉTIONS-NOUS, MONSIEUR DANIEL...

NOUS AVONS OBTENU NOTRE FINANCEMENT...

JE VAIS M'OCCUPER DES AFFAIRES DE FUSIONS. TOI, TU PEUX TE CHARGER SANS PLUS ATTENDRE DU DÉVELOPPEMENT DE NOS NOUVEAUX PRODUITS.

OUI !

LORSQUE NOS RIVAUX APPRENDRONT CE QUE NOUS ESSAYONS DE FAIRE, ILS TENTERONT AUSSITÔT DE NOUS COPIER.

ROBIN, PROFITONS DE NOTRE AVANCE POUR LES DISTANCER DÉFINITIVEMENT.

OUI !

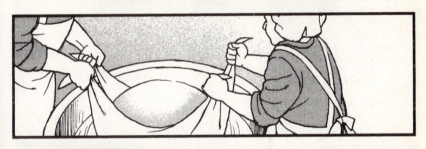

HMM..

61

J'AIMERAIS QUE VOUS FABRIQUIEZ UNE MACHINE SELON CES PLANS...

UNE NOUVELLE MACHINE ?

VOUS SAVEZ, NOUS NE SOMMES ÉQUIPÉS QUE POUR RÉALISER DES CHOSES QUI EXISTENT DÉJÀ...

J'AI OUÏ-DIRE QUE VOUS ÉTIEZ TRÈS DOUÉS ! ET PUIS CE SERA UNE GROSSE COMMANDE !

AH BON ?

MAIS QUI ÊTES-VOUS, DÉJÀ ?

JE ME PRÉSENTE, JE VIENS DU DANIEL GROUP ET...

LE DANIEL GROUP ? VOUS NE POUVIEZ PAS LE DIRE PLUS TÔT ?

GRÂCE À LA COMMANDE PASSÉE PAR LE DANIEL GROUP...

... VOUS M'ACCORDEZ MON FINANCEMENT ?

RECOMPTEZ-BIEN...

BON, HÉ BIEN JE COMPTE SUR VOUS...

PAS DE PROBLÈME ! JE VAIS ENFIN POUVOIR INVESTIR DANS MON NOUVEL ÉQUIPEMENT.

FAITES-MOI CONFIANCE ! VOUS AUREZ VOS MACHINES EN TEMPS ET EN HEURE !

C'EST DU FROMAGE, ÇA ?

OUI...

JE VOUS INVITE À GOÛTER À NOTRE NOUVEAU PRODUIT...

L'EXTÉRIEUR EST FERME MAIS L'INTÉRIEUR EST MOELLEUX.

IL A ÉTÉ CONÇU AVEC DEUX COUCHES...

C'EST PLUTÔT AMUSANT ET AGRÉABLE EN BOUCHE !

ET C'EST BON !

MERCI...

NOUS ENTOURONS DU FROMAGE MOU AVEC UNE ÉPAISSEUR DE FROMAGE DUR.

EN PLUS, NOUS AVONS RÉUSSI À CONSERVER SON GOÛT D'ORIGINE, MÊME APRÈS ÊTRE PASSÉ AU CONGÉLATEUR POUR UNE MEILLEURE CONSERVATION...

ET UNE FOIS SUR LES LIGNES DE PRODUCTION ? LA CONCEPTION NE POSE AUCUNE DIFFICULTÉ ?

D'UN POINT DE VUE TECHNIQUE, C'EST BON...

MAIS NOUS AVONS BESOIN D'ENCORE UN PEU DE CAPITAUX POUR LES DERNIERS DÉTAILS.

JE VOIS.

CELA PREND DONC BONNE FORME.

NE T'EN FAIS PAS POUR TON BESOIN DE FINANCE-MENT. TU L'AURAS.

POUR LES FUSIONS, L'AFFAIRE SUIT AUSSI SON COURS...

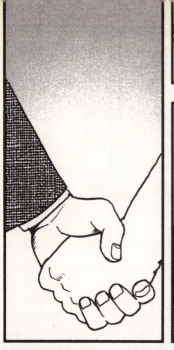

LE CAPITALISME CRÉE UN MONDE CONCURRENTIEL DANS LEQUEL LES ACTEURS N'ONT DE CESSE DE TOUJOURS VOULOIR PLUS !

PRODUCTION DE MASSE, NOUVEAUX PROFITS ET CROISSANCE. ET CE CYCLE SE RÉPÈTE INDÉFINIMENT...

BIEN ENTENDU, POUR QUE LA PRODUCTION DE MASSE AIT UN SENS ET GÉNÈRE DU PROFIT...

... IL FAUT QUE LES PRODUITS SE VENDENT.

IL FAUT DONC TROUVER UN ÉQUILIBRE EFFICACE...

... ENTRE LES DÉLAIS DE FABRICATION ET LES DÉLAIS DE VENTE DE LA MARCHANDISE...

LE "TEMPS DE PRODUCTION"...

... ET LE "TEMPS DE CIRCULATION".

C'EST AVEC CE CAPITAL AMASSÉ AU COURS DE CE CYCLE QUE L'ON PRODUIT À NOUVEAU...

EN RÉPÉTANT TOUTES CES OPÉRATIONS...

CHIFFRE D'AFFAIRES

... ON OBTIENT CE QU'ON APPELLE LA ROTATION DU CAPITAL

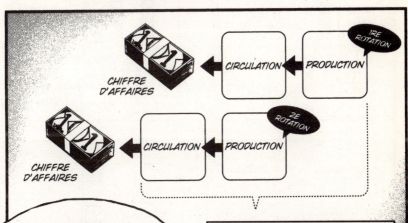

CHIFFRE D'AFFAIRES

1RE ROTATION

CIRCULATION ← PRODUCTION

CHIFFRE D'AFFAIRES

2E ROTATION

CIRCULATION ← PRODUCTION

LE TEMPS DE ROTATION DU CAPITAL REPRÉSENTE LA SOMME DU TEMPS DE PRODUCTION ET DU TEMPS DE CIRCULATION. LE TEMPS DE CIRCULATION EST CELUI PENDANT LEQUEL LE CAPITAL PASSE DE LA FORME ARGENT À LA FORME MARCHANDISE ET DE LA FORME MARCHANDISE À LA FORME ARGENT. LA DURÉE DE LA CIRCULATION DÉPEND DES CONDITIONS D'ACHAT, DES MOYENS DE PRODUCTION ET DES CONDITIONS DE VENTE DES PRODUITS FINIS, DE LA PROXIMITÉ DU MARCHÉ, DU DEGRÉ DE DÉVELOPPEMENT DES MOYENS DE TRANSPORT ET DE COMMUNICATION.

AVANT D'ÊTRE VENDUE, UNE MARCHANDISE À BESOIN DE NOMBREUX CAPITAUX POUR SUBVENIR À SA PRODUCTION MAIS ÉGALEMENT À SA CIRCULATION (STOCKAGE, TRANSPORT, DIFFUSION, PROMOTION, ETC.)

POUR L'INDUSTRIE CAPITALISTE, IL EST ÉVIDENT QUE POUR CONTINUER À PRODUIRE SANS INTERRUPTION, IL DOIT ÉCOURTER AU MAXIMUM LE TEMPS DE CIRCULATION ET TRANSFORMER AU PLUS VITE SA PRODUCTION EN ARGENT.

LE DÉVELOPPE-MENT DE LA PRODUCTION ET DE LA CIRCULATION CAPITALISTES ENTRAÎNE AINSI LE DÉVELOPPEMENT DES FORMES DU COMMERCE DE GROS ET DE DÉTAIL.

C'EST LE "COMMERCE CAPITALISTE", QUI VA RÉDUIRE LE TEMPS DE CIRCULATION.

LE COMMERCE DE GROS EST LE COMMERCE ENTRE ENTREPRISES INDUSTRIELLES ET LES ENTREPRISES COMMERCIALES, COMME LES MAGASINS.

C'EST PAS CHER !

LE COMMERCE DE DÉTAIL EST LA MARCHANDISE REVENDUE PAR LES ENSEIGNES DE VENTES, DIRECTEMENT AU CONSOM-MATEUR.

GRÂCE À CETTE ENTENTE...

LA ROTATION DU CAPITAL TROUVE UN RYTHME.

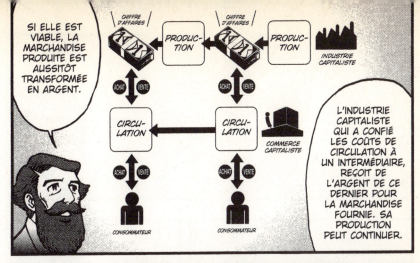

SI ELLE EST VIABLE, LA MARCHANDISE PRODUITE EST AUSSITÔT TRANSFORMÉE EN ARGENT.

L'INDUSTRIE CAPITALISTE QUI A CONFIÉ LES COÛTS DE CIRCULATION À UN INTERMÉDIAIRE, REÇOIT DE L'ARGENT DE CE DERNIER POUR LA MARCHANDISE FOURNIE. SA PRODUCTION PEUT CONTINUER.

LE PROBLÈME, C'EST QUE LES MARCHANDISES FONT GÉNÉRALEMENT L'OBJET DE TRANSACTIONS À CRÉDIT ENTRE CAPITALISTES ET QUE L'ON SE BASE SUR DES ENGAGEMENTS. LE FABRICANT S'ENGAGE À PRODUIRE ET À LIVRER AU COMMERCE CE QU'IL N'A PAS ENCORE PRODUIT. LE COMMERCE, LUI, S'ENGAGE À REVENDRE CE QU'IL NE POSSÈDE PAS ENCORE. MAIS AUCUN D'EUX NE SAIT VRAIMENT COMMENT VA ÉVOLUER LE MARCHÉ.

C'EST AINSI QUE LES BOURSES DEVIENNENT LE CENTRE DU COMMERCE ET DE LA SPÉCULATION. LA SPÉCULATION EST ÉTROITEMENT LIÉE À TOUT LE SYSTÈME DU COMMERCE CAPITALISTE DONT LE BUT N'EST PAS DE POURVOIR AUX BESOINS DE LA SOCIÉTÉ, MAIS DE TIRER DU PROFIT.

CE SONT LES GROS CAPITALISTES QUI S'ENRICHISSENT PRINCIPALEMENT PAR LA SPÉCULATION. CELLE-CI ENTRAÎNE LA RUINE D'UNE GRANDE PARTIE DES PETITS ET MOYENS ENTREPRENEURS.

GOÛTEZ À NOTRE NOUVELLE VARIÉTÉ DE FROMAGE !

Y'EN N'AURA PAS POUR TOUT LE MONDE !

OH ! UNE NOUVELLE VARIÉTÉ ?

L'ESSAYER, C'EST L'ADOPTER !

ICE CHEESE

JE VOUS EN PRENDS UN !

DONNEZ-M'EN DEUX PAQUETS, S'IL VOUS PLAÎT !

MERCI MADAME !

NOTRE MENU DU JOUR...

... UTILISE UNE NOUVELLE VARIÉTÉ DE FROMAGE...

CHEZ NOUS AUSSI, VOTRE PRODUIT PART COMME DES PETITS PAINS ! HA HA !

NOUS SOMMES DÉJÀ EN RUPTURE DE STOCK !

JE VOUS REMERCIE...

PAS DE QUOI...

ET C'EST D'AILLEURS POUR CELA QUE JE VOUS AI CONVOQUÉS AUJOURD'HUI...

NOUS PRÉVOYONS DANS LES PROCHAINES SEMAINES UNE AUGMENTATION DE SA CONSOMMATION...

JE SOUHAITERAIS DONC VOUS EN COMMANDER... LE DOUBLE...

LE... DOUBLE ?

DANIEL, COMMENT COMPTEZ-VOUS TENIR LES COMMANDES ? NOUS SOMMES DÉJÀ À PLEIN RÉGIME !

EN FAISANT TRAVAILLER LES OUVRIERS ENCORE PLUS ?

ON VA SE MÉCANISER DAVANTAGE.

MÊME EN LES FAISANT BOSSER 24H, NOS OUVRIERS NE POURRAIENT PAS PRODUIRE TANT !

ROBIN ! SI NOUS N'Y ARRIVONS PAS, LES AUTRES LE FERONT !

LE DOUBLE ?

M.FACTORY

OUI...

NOUS SOMMES EN PLEINE CROISSANCE...

... ET NOUS DEVONS NOUS ÉQUIPER EN NOUVELLES MACHINES POUR SATISFAIRE TOUTE LA DEMANDE.

HEU, JE COMPRENDS MAIS VOUS SAVEZ, MA PRODUCTION DE MACHINES EST LIMITÉE...

IL VA ÊTRE DIFFICILE DE FAIRE PLUS DANS LA SITUATION ACTUELLE...

C'EST BIEN VOUS QUI DISIEZ QU'ON POUVAIT COMPTER SUR VOUS !

ET VOUS ME FAITES COMPRENDRE QUE C'EST IMPOSSIBLE ?

WHAAA !

NON NON, CE N'EST PAS CE QUE JE VOULAIS DIRE...

ON VA S'ARRANGER...

...

...

C'EST ENTENDU...

JE VAIS TROUVER UNE SOLUTION...

...

COMPTEZ ET VÉRIFIEZ...

CE TRAVAIL SUPPLÉMENTAIRE EST SÛREMENT UNE BONNE NOUVELLE...

IL FAUT VOIR LES CHOSES COMME CELA...

MAIS POUR Y PARVENIR...

... JE VAIS DEVOIR AGRANDIR MON USINE...

VOUS NE ME LAISSEREZ PAS TOMBER ENSUITE, HEIN ?

LORSQU'UNE ENTREPRISE AUGMENTE SA PRODUCTION ET PARVIENT À GÉNÉRER PLUS DE PROFITS...

... TOUS SES FOURNISSEURS RESSENTENT AUSSI CETTE ÉVOLUTION.

VOUS VENEZ D'EN AVOIR L'EXEMPLE ENTRE DANIEL, ROBIN ET LE PETIT PATRON DE L'USINE PARTENAIRE.

POUR S'ÉQUIPER, LA SOCIÉTÉ A QUI FABRIQUE DES BIENS DE CONSOMMATION A BESOIN DE PASSER UNE GROSSE COMMANDE À UNE SOCIÉTÉ B.

SOCIÉTÉ A

COMMANDE

IL EST NORMAL QUE LA SOCIÉTÉ B NE PUISSE PAS Y RÉPONDRE TOUT DE SUITE...

SOCIÉTÉ B

MONSIEUR B ! JE VAIS AVOIR BESOIN DE 20 MACHINES PAR JOUR !

20 ?!?

MAIS...

EN L'ÉTAT, NOUS NE POUVONS EN PRODUIRE QUE 10...

VOUS VOYEZ, SI LA SOCIÉTÉ B, QUI FABRIQUE DES BIENS DE PRODUCTION, N'EST PAS PRÉPARÉE...

... ELLE NE POURRA PAS RÉPONDRE À LA DEMANDE DE A.

TRÈS BIEN ! AU REVOIR, MONSIEUR B ! JE VAIS VOIR AILLEURS...

HAAA ! ATTENDEZ !

JE... HEU...

CE N'EST QU'UN PROBLÈME PASSAGER. ON PEUT Y REMÉDIER...

VÉRIFIEZ ET COMPTEZ...

AVEC ÇA, JE VAIS AUGMENTER MA PRODUCTION...

ET JE POURRAI RÉPONDRE À LA DEMANDE DE A !

OK, C'EST PARFAIT !

BIEN...

MACHINES À VENDRE

LA SOCIÉTÉ B A DONC BESOIN DE S'ÉQUIPER EN NOUVEAU MATÉRIEL...

... POUR POUVOIR ENSUITE PRODUIRE LES MACHINES COMMANDÉES PAR LA SOCIÉTÉ A !

MACHINES ACHETÉES POUR EN CRÉER DE NOUVELLES...

EN PROCÉDANT AINSI, LA SOCIÉTÉ B EST ÉGALEMENT OBLIGÉE DE SE DÉVELOPPER ET DE S'AGRANDIR...

M.FACTORY

MAIS SANS S'EN RENDRE COMPTE, LA SOCIÉTÉ B SE LANCE DANS UN TOURBILLON INFERNAL...

CERTES, LE MARCHÉ À L'AIR DE BIEN SE PORTER PUISQUE LES COMMANDES AFFLUENT...

QUEL BOULOT, HEIN PATRON !

OUI !

ON A AGRANDI L'USINE ET ON TRAVAILLE BEAUCOUP !

J'ESPÈRE BIEN QUE VOUS AUGMENTEREZ AUSSI NOS SALAIRES !

HA HA HA ! J'Y PENSERAI, OUI...

MACHINES À VENDRE : MARCHANDISE

TANT QUE LES MACHINES PRODUITES PAR LA SOCIÉTÉ A SE VENDENT, TOUT VA BIEN.

MAIS N'OUBLIONS PAS QUE POUR POUVOIR RÉPONDRE À LA DEMANDE...

... LA SOCIÉTÉ B S'EST ÉQUIPÉE AUSSI, ELLE S'EST AGRANDIE...

MACHINES POUR CONSTRUIRE LES MACHINES À VENDRE.

TOUJOURS DANS CETTE MÊME QUÊTE DU PROFIT...

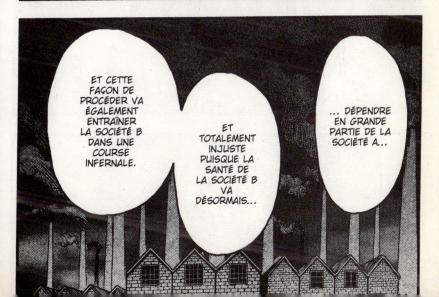

ET CETTE FAÇON DE PROCÉDER VA ÉGALEMENT ENTRAÎNER LA SOCIÉTÉ B DANS UNE COURSE INFERNALE.

ET TOTALEMENT INJUSTE PUISQUE LA SANTÉ DE LA SOCIÉTÉ B VA DÉSORMAIS...

... DÉPENDRE EN GRANDE PARTIE DE LA SOCIÉTÉ A...

QUAND LA SOCIÉTÉ A PASSE UNE COMMANDE À LA SOCIÉTÉ B...

... CETTE DERNIÈRE DOIT CALCULER SES BESOINS EN MATÉRIEL POUR RÉPONDRE À CETTE DEMANDE ET FABRIQUER SES MACHINES.

C'EST ELLE QUI VA BIEN ENTENDU SE PRÉPARER, SANS QUE CELA CONCERNE OU RESPONSABILISE DIRECTEMENT LE CLIENT À L'ORIGINE DE CETTE AGRANDISSEMENT.

ET CE PHÉNOMÈNE DE DÉPENDANCE, ON LE RETROUVE DANS L'ENSEMBLE DE LA SOCIÉTÉ CAPITALISTE.

CLICK!

IMAGINEZ QU'UN BEAU JOUR, LA MARCHANDISE DE LA SOCIÉTÉ A NE SE VENDE PLUS DU TOUT...

HEIN ?

ET DES MARCHANDISES QUI NE SE VENDENT PLUS...

... VONT DONC LOGIQUEMENT AGGRAVER LA BAISSE DE PRODUCTION ET LES RÉSULTATS DE A.

LA SOCIÉTÉ A RETOURNERA DONC VOIR B POUR LUI DIRE QUE LA SITUATION EMPIRE...

DÉSOLÉ

... ET QU'ELLE BAISSE D'AUTANT PLUS SA COMMANDE À SON ÉGARD.

LES COMMANDES DE B ÉTANT EN CHUTE LIBRE, SON BÉNÉFICE LE SERA ÉGALEMENT.

LE SALAIRE DES OUVRIERS CONTINUERA DE BAISSER ET LES LICENCIEMENTS SERONT INÉVITABLES.

SANS OUBLIER QUE LA SITUATION SERA IDENTIQUE POUR LES VENDEURS, DANS LES MAGASINS, QUI CONNAÎTRONT LE MÊME SORT.

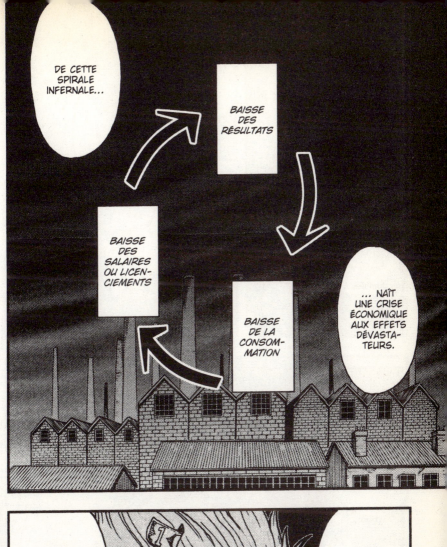

DE CETTE
SPIRALE
INFERNALE...

BAISSE
DES
RÉSULTATS

BAISSE
DES
SALAIRES
OU LICEN-
CIEMENTS

BAISSE
DE LA
CONSOM-
MATION

... NAÎT
UNE CRISE
ÉCONOMIQUE
AUX EFFETS
DÉVASTA-
TEURS.

CETTE
VOLONTÉ DE
S'AGRANDIR
ET DE SE
DÉVELOPPER
DE LA SORTE...

... PROVOQUE
CE GENRE DE
CATASTROPHES.

MAIS LA SOCIÉTÉ CAPITALISTE EST UNE SOCIÉTÉ DE CONCURRENCE.

SI VOUS LOUPEZ LE GROS POISSON QUI PASSE DEVANT VOUS...

DOMMAGE !

JE L'AI !

VOUS POUVEZ ÊTRE SÛR QU'UN AUTRE L'AURA !

LES CAPITALISTES N'ONT DONC PAS LE TEMPS DE S'APITOYER SUR LEUR SORT ET LA SITUATION...

CAR ILS N'ONT D'AUTRE CHOIX QUE DE LUTTER SANS CESSE CONTRE LES REMOUS QU'ILS PROVOQUENT.

LES CONTRADICTIONS
DU CAPITALISME

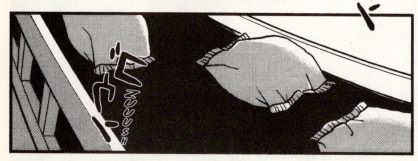

95

SINON, JE VOULAIS VOUS DIRE, MONSIEUR DANIEL...

COMME NOS RÉSULTATS SONT BONS...

... ET QUE NOS BÉNÉFICES SONT EN AUGMENTATION ...

JE ME DISAIS QU'ON POURRAIT ENFIN REVOIR LE SALAIRE DE NOS OUVRIERS À LA HAUSSE...

...

REVOIR LEUR SALAIRE À LA HAUSSE ?

HA HA HA !

VOYONS, C'EST IMPOSSIBLE !

MAIS POURQUOI ?

TU AS EN EFFET REMARQUÉ QUE NOS BÉNÉFICES ÉTAIENT EN FORTE HAUSSE...

... MAIS CE N'EST PAS TOUT À FAIT COMME CELA QUE ÇA FONCTIONNE...

JE NE COMPRENDS PAS. LES CHIFFRES SONT FORMELS...

NOUS AVONS CONNU UNE CROISSANCE DE 300% !

OUI, MAIS TU OUBLIES UN DÉTAIL, ROBIN...

N'OUBLIE PAS POURQUOI NOUS, INVESTISSEURS, AVONS RISQUÉ NOTRE ARGENT...

POUR LA PLUS-VALUE.

NOS SEULS REVENUS PROVIENNENT DES PROFITS ENGENDRÉS PAR LA FORCE DE TRAVAIL QUE NOUS ACHETONS.

TU SAIS BIEN AUJOURD'HUI QU'IL EST IMPOSSIBLE DE DÉGAGER DE LA PLUS-VALUE SUR LES MATIÈRES PREMIÈRES OU SUR LES MACHINES SERVANT À PRODUIRE.

LE CAPITALISME COMMERCIAL CONSISTE À ACHETER BON MARCHÉ ET À REVENDRE PLUS CHER, N'EST-CE PAS ?

OUI...

98

LA VALEUR AJOUTÉE NÉE DU TRAVAIL DES OUVRIERS, C'EST NOTRE PROFIT.

PLUS ILS SONT NOMBREUX ET PLUS NOS REVENUS LE SONT AUSSI.

QU'EST-CE QUE CELA SIGNIFIE ?

LA PRODUCTION, ELLE...

NOUS N'AVONS FAIT QU'ACHETER DE NOUVELLES MACHINES !

!?

TU AS PEUT-ÊTRE L'IMPRESSION QU'EN NOUS AGRANDISSANT, NOUS AVONS AUGMENTÉ NOS PROFITS...

MAIS EN RÉALITÉ, NOTRE RENTABILITÉ A BAISSÉ !

AUGMENTER NOTRE AUTO-MATISATION...

... A FAIT BAISSER LA RENTABILITÉ ?

OUI...

CERTES, AVEC LES FUSIONS, BEAUCOUP D'ARGENT A ÉTÉ MIS EN CIRCULATION...

DANS LE MÊME TEMPS, LES PROGRÈS TECHNOLOGIQUES ONT PERMIS D'ACCROÎTRE LES PERFORMANCES DES MACHINES.

MAIS D'APRÈS TOI, QU'EST-CE QUE CELA SIGNIFIE, CES PROGRÈS TECHNIQUES ?

UNE MACHINE QUI NÉCESSITAIT DEUX PERSONNES À L'ORIGINE...

... PEUT DÉSORMAIS ÊTRE CONTRÔLÉE PAR UN SEUL OUVRIER.

RENTABILITÉ (PROFITS DIVISÉS PAR MACHINES + FORCE DE TRAVAIL)	PROFITS	FORCE DE TRAVAIL	MACHINES	
50%	**100**	**100**	**100**	AVANT LES INVESTISSE-MENTS
30%	**300**	**300**	**700**	APRÈS LES INVESTISSE-MENTS

APRÈS LES INVESTISSEMENTS, BIEN QUE LE PROFIT SOIT EN HAUSSE, SI LA PART DE LA FORCE DE TRAVAIL EST EN BAISSE...

... ALORS LA RENTABILITÉ BAISSERA D'AUTANT.

ET FINALEMENT, C'EST LA RENTABILITÉ MESURÉE PAR LE TAUX DE PROFIT QUI COMPTE LE PLUS POUR CES SOCIÉTÉS.

ET UNE RENTABILITÉ EN BAISSE SIGNIFIE QU'IL VA DEVENIR DE PLUS EN PLUS DIFFICILE D'ENGRANGER DES PROFITS.

IL CONVIENT DONC, SANS PLUS ATTENDRE, DE REVOIR NOTRE FORCE DE TRAVAIL POUR REDRESSER LE TIR.

CERTES, MAIS IL N'EMPÊCHE QUE NOS PROFITS SONT EN HAUSSE MAINTENANT !

ON POURRAIT DONC SE PERMETTRE D'AUGMENTER LE SALAIRE DE NOS OUVRIERS !

PFUUU...

LAISSE-MOI TE POSER UNE QUESTION. CROIS-TU QUE L'ON AIT BESOIN DE LES AUGMENTER ?

SI LA PRODUCTION DE NOS MARCHANDISES DÉPENDAIT D'EUX ET QU'ILS TRAVAILLAIENT PLUS...

... ALORS LA PRODUCTIVITÉ CONNAÎTRAIT PEUT-ÊTRE UN BOND.

MAIS CE SONT LES MACHINES QUI PRODUISENT !

LA PRODUCTIVITÉ NE DÉPEND PAS D'EUX !

N'IMPORTE QUI POURRAIT FAIRE CE QU'ILS FONT !

...

PLUS LES MACHINES SONT PERFORMANTES, MOINS ILS ONT DE RESPONSABILITÉS.

ROBIN, CELA SIGNIFIE QUE LA VALEUR DE LEUR TRAVAIL BAISSE !

ET TOI, TU VOUDRAIS AUGMENTER LEUR SALAIRE ?

MAIS ATTENDEZ !

VOUS VOULEZ DIRE QUE SI ON SUPPRIMAIT DES MACHINES, LEUR TRAVAIL GAGNERAIT EN VALEUR ?

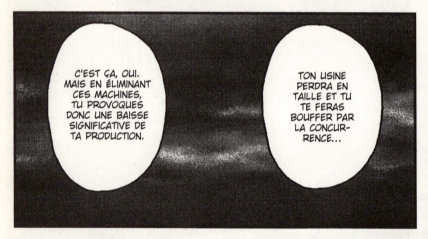

C'EST ÇA, OUI. MAIS EN ÉLIMINANT CES MACHINES, TU PROVOQUES DONC UNE BAISSE SIGNIFICATIVE DE TA PRODUCTION.

TON USINE PERDRA EN TAILLE ET TU TE FERAS BOUFFER PAR LA CONCUR-RENCE...

MAIS...

.....

IMAGINE QUE TU AUGMENTES LEUR PAYE...

... CELA REVIENDRA À FAIRE CHUTER LE PROFIT.

ET DONC QUE TU VAS UTILISER LE CAPITAL QUI DEVAIT TE SERVIR À TA PROCHAINE PRODUCTION.

LES PROFITS SERVENT AUSSI À CELA, ROBIN.

ET QUE TU LE VEUILLES OU NON, TU N'Y POURRAS RIEN !

COMMETS CETTE ERREUR ET TU VERRAS LES VAGUES DU CAPITALISME T'ENGLOUTIR.

TU NE TROUVES PAS QUE BEAUCOUP DE GENS SE FONT VIRER EN CE MOMENT ?

C'EST COMME SI LES MACHINES NOUS REMPLAÇAIENT AU FUR ET À MESURE...

J'AVOUE QUE LE BOULOT EST PLUS FACILE QU'AVANT MAIS IL EST AUSSI DEVENU BIEN ENNUYEUX...

BAH, ARRÊTE DE TE PLAINDRE !

RE- GARDE !

Du travail S.V.P

TOI AU MOINS, T'AS LA CHANCE D'AVOIR DU BOULOT ! ALORS PROFITE DE TA SITUATION !

TU AS RAISON...

BON, ON SE BOIT UN PETIT VERRE AVANT DE RENTRER ?

OUAIS...

KARL, TU VIENS ?

NON...

LAISSE TOMBER...

TU SAIS BIEN QU'IL NE NOUS ACCOMPAGNE JAMAIS !

DÉCIDÉMENT, JE ME DEMANDE ENCORE CE QU'IL PEUT BIEN TROUVER D'AMUSANT À LA VIE, LUI...

...

TU AS PASSÉ UNE BONNE JOURNÉE, CHÉRI ?

ÇA VA...

ZUISH

LES DEUX PETITS VOULAIENT T'ATTENDRE AVANT DE S'ENDORMIR MAIS ILS N'ONT PAS TENU...

ILS ONT BIEN ÉTUDIÉ ?

OUI...

ILS TRAVAILLENT BIEN À L'ÉCOLE.

ET SINON, TA NOUVELLE MACHINE À L'USINE N'EST PAS TROP DURE À UTILISER ?

NON NON...

TU AS POURTANT L'AIR ÉPUISÉ...

SI TU VEUX, JE PEUX ESSAYER DE TROUVER UN AUTRE TRAVAIL LE SOIR...

PAS LA PEINE...

ÇA IRA...

8... 9... 10... C'EST ENTENDU, JE VAIS PLACER CES 10G SUR VOTRE COMPTE...

OUI...

ON A FRANCHI LA BARRE DES 100...

MAIS C'EST LOIN D'ÊTRE SUFFISANT...

MES DEUX FILS DOIVENT ABSOLUMENT ALLER JUSQU'À L'UNIVERSITÉ...

TENEZ, VOICI VOTRE PRÊT DE 1000G. VEUILLEZ RECOMPTER...

C'EST ENTENDU, DIRECTEUR ?

... LES MÊMES MACHINES QUE CELLES DU DANIEL GROUP ! D'ACCORD ?

JE TIENS AUSSI À AVOIR...

SANS SOUCI !

HÉ, VOUS DEUX !

ZUT ! ON FILE !

ATTENDEZ !

PARDON PAPA, JE ME SUIS FAIT PRENDRE !

DÉGAGE, TOI !

...

CE N'EST PAS BIEN DE VOLER !

RENDS-MOI MON PORTE-FEUILLE !

TIENS...

JE ME DISAIS BIEN CONNAÎTRE CE VISAGE...

C'EST BIEN VOUS, MONSIEUR ROBIN DU DANIEL GROUP ?

!

VOUS NE ME CONNAISSEZ PAS MAIS SACHEZ QU'AVANT, JE BOSSAIS DANS UNE PETITE FABRIQUE DE FROMAGE CONCURRENTE...

MAIS À CAUSE DE VOUS ET DE VOTRE VOLONTÉ DE VOUS IMPOSER PARTOUT...

... ELLE A MIS LA CLÉ SOUS LA PORTE...

COMME J'ÉTAIS SANS EMPLOI, JE SUIS DONC VENU FRAPPER À VOTRE PORTE...

ET AUJOURD'HUI, J'EN SUIS À ME DEMANDER SI J'AURAI DE QUOI MANGER DEMAIN...

MAIS ON M'A DIT NON.

HAA

HAA

UN ADULTE DEVRAIT AVOIR HONTE DE POUSSER DES ENFANTS AU PICKPOCKET !

LUI AUSSI A PERDU SON EMPLOI...

...

VOUS NE REMARQUEZ PAS ?

LES GENS DANS NOTRE SITUATION SONT DE PLUS EN PLUS NOMBREUX, M'SIEUR LE DIRECTEUR...

SI VOUS VOULEZ MON AVIS, NE RESTEZ PAS TROP LONGTEMPS DANS LE COIN...

JE VOUS DONNE QUELQUES MINUTES POUR FILER HORS DE NOTRE VUE, SINON...

LA MÉCANISATION PERMET DE SE PASSER DE LA MAIN-D'ŒUVRE...

... ET PROVOQUE DONC AUSSI LE CHÔMAGE.

IL EXISTE DE NOMBREUX DEMANDEURS POUR PEU DE POSTES...

LES CAPITALISTES EXPLOITENT LES FAIBLESSES DES GENS DANS LA PRÉCARITÉ.

LA FORCE DE TRAVAIL EST REMPLAÇABLE À VOLONTÉ !

ET TOUS CES GENS TRIBUTAIRES DE LA CHARITÉ OU D'UNE ALLOCATION CHÔMAGE POUR VIVRE...

ON APPELLE CELA "L'ARMÉE DE RÉSERVE DE TRAVAILLEURS".

ROBIN ?

SAIS-TU DE QUOI EST FAIT L'ARGENT ?

...

DU LABEUR !

L'ARGENT EST FAIT DE L'EXPLOITATION DU TRAVAIL DES HOMMES...

CERTES, MAIS SI NOUS AVIONS EU UN PEU D'ARGENT...

... NOUS AURIONS CERTAINEMENT PU SAUVER MAMAN !

TU SAIS, NOUS N'AVONS PAS BESOIN D'ARGENT...

MAIS C'EST PARCE QU'ON N'A PAS D'ARGENT QU'ON ATTRAPE DES MALADIES, NON ?

ÇA N'A RIEN À VOIR AVEC ÇA, VOYONS...

AH BON ? ALORS TU ES HORS DE DANGER, HEIN ?

ROBIN, TU SAIS, L'ARGENT N'AIDE PAS LES HOMMES...

SEUL DIEU EST CAPABLE DE NOUS PROTÉGER...

ROBIN, NOTRE ACTION N'A STRICTEMENT RIEN D'HUMANISTE...

SI TU TIENS TANT À DEVENIR RICHE...

... TU DEVRAS FAIRE FI DE TOUTE COMPASSION !

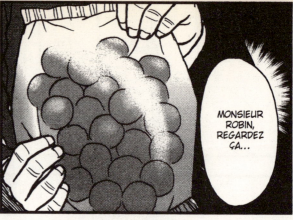

MONSIEUR ROBIN, REGARDEZ ÇA...

HMM ? ON DIRAIT NOTRE PRODUIT...

D'OÙ CELA VIENT-IL ?

LA CONCURRENCE, MONSIEUR...

UNE COPIE ?

MAIS NOUS UTILISONS DES TECHNIQUES DE FABRICATION INCONNUES DES AUTRES...

ON DIRAIT BIEN QU'IL Y A EU DES FUITES...

DES FUITES ?

MAIS QUI A BIEN PU...

ÇA N'A RIEN D'ÉTON-NANT...

VOUS VENDEZ LES MÊMES MACHINES QUE LES NÔTRES À NOS CONCURRENTS ?

LES MÊMES ? DISONS QU'ELLES SE RESSEMBLENT, OUI...

COMMENT ÇA ?

HÉ BIEN...

VOS COMMANDES DE MACHINES ONT QUELQUE PEU BAISSÉ CES DERNIERS TEMPS ET DONC...

REGARDEZ ÇA...

...

C'EST UN PRODUIT RÉALISÉ PAR DES CONCURRENTS !

ILS CONNAISSENT NOS TECHNIQUES DE FABRICATION !

VOUS AVEZ OSÉ RÉPANDRE UN SECRET D'ENTREPRISE !

HEIN !

JE N'AI FAIT QUE MON TRAVAIL ! VENDRE MES MACHINES !

ET PUIS VOUS SAVEZ, VOTRE "SECRET", IL N'EST PROTÉGÉ PAR AUCUN BREVET, ALORS...

OUPS, PARDON ! CE N'EST PAS CE QUE JE VOULAIS DIRE...

NE VOUS MÉPRENEZ PAS À MON SUJET ! JE VOUS SUIS INFINIMENT RECONNAISSANT MAIS...

... REGARDEZ MON USINE !

ELLE S'EST CONSIDÉRABLEMENT AGRANDIE ET IL FAUT BIEN QUE JE LA FASSE TOURNER D'UNE FAÇON OU D'UNE AUTRE...

ALLEZ ROBIN, IL FALLAIT S'Y ATTENDRE...

MAIS...

APRÈS TOUT, IL A TOUT À FAIT RAISON.

SI J'AVAIS ÉTÉ À SA PLACE, J'AURAIS ÉGALEMENT FAIT DE MÊME.

C'EST LA LOGIQUE DU SYSTÈME...

À NOUS DE REBONDIR ET DE TROUVER UN MOYEN DE GARDER NOTRE AVANCE.

GOÛTEZ À NOTRE NOUVELLE VARIÉTÉ DE FROMAGE !

PREMIERS ARRIVÉS, PREMIERS SERVIS !

OH ! LA COULEUR A L'AIR UN PEU DIFFÉRENTE D'AVANT...

GOÛTEZ-MOI ÇA !

ICE CHEESE 2

J'EN PRENDS UN !

DONNEZ-M'EN DEUX PAQUETS !

MERCI MADAME !

LES CONSOMMA-TEURS ADORENT LES NOUVEAUTÉS ...

... ILS SE JETTENT SUR TOUTES CES MARCHANDISES QUI SORTENT LES UNES APRÈS LES AUTRES...

ET POUR LES ENTREPRISES, C'EST LA MÊME CHOSE...

ELLES SONT SANS ARRÊT À LA RECHERCHE D'UN NOUVEAU PRODUIT ET DE NOUVELLES TECHNOLOGIES...

... POUR LES RENDRE PLUS COMPÉTITIVES ET S'ACCAPARER LE MAXIMUM DE BUTIN PAR RAPPORT À LA CONCURRENCE.

ET PLUS ON OFFRE DE NOUVELLES CHOSES AUX CONSOMMATEURS...

... PLUS ON S'ENGOUFFRE DANS UNE SPIRALE INFERNALE.

CE QUI ÉTAIT À LA POINTE DE LA TECHNOLOGIE DEVIENT PETIT À PETIT DÉPASSÉ...

ALORS QU'ILS CROIENT PROGRESSER...

... LES CAPITALISTES OUBLIENT QUE LA VALEUR AJOUTÉE CENSÉE ÊTRE APPORTÉE PAR LA MAIN-D'ŒUVRE DIMINUE AU FUR ET À MESURE QUE LES MACHINES TENDENT À LES REMPLACER...

LE TAUX DE PROFIT ET DONC LA RENTABILITÉ DIMINUENT...

SI BIEN QUE POUR LA MAINTENIR, LES ENTREPRISES FUSIONNENT...

... S'AGRANDISSENT ET PRODUISENT TOUJOURS PLUS...

TOUTES CES SOCIÉTÉS CAPITALISTES À LA RECHERCHE DE PROFIT SE RETROUVENT COINCÉES DANS CE CERCLE VICIEUX...

ET POUR COURONNER LE TOUT...

... LE CAPITALISME COMMERCIAL ACCÉLÈRE LE TOURBILLON...

LES CLIENTS SE TOURNENT DE PLUS EN PLUS VERS L'AUTRE FROMAGE...

... QUI EST 20% MOINS CHER QUE LE VÔTRE...

VOUS ESSAYEZ DE ME DIRE QUE VOUS ALLEZ BAISSER VOS COMMANDES ...

OUI...

BON...

JE SUIS NAVRÉ...

QUELLE POISSE...

FAUT-IL AUSSI BAISSER NOTRE PRIX ?

INUTILE DE S'ENGAGER DANS CETTE COURSE DE RATS !

NOUS DEVONS CONTRE-ATTA-QUER !

CONTRE-ATTAQUER, C'EST UN BIEN JOLI MOT...

... MAIS IL FAUT D'ABORD SE DÉFENDRE POUR STOPPER LES PERTES !

SI LA PRODUCTION DIMINUE...

... COMMENT ALLONS-NOUS OCCUPER TOUTES NOS ÉQUIPES ?

LES LICENCIER, TOUT SIMPLEMENT.

LES OUVRIERS NE SONT PAS QUE DES TRAVAILLEURS ! C'EST AUSSI UNE SOUPAPE DE SÉCURITÉ POUR LES CAPITALISTES !

RÉGLONS LEUR NOMBRE EN FONCTION DE LA DEMANDE !

MAIS COMMENT POUVEZ-VOUS !

EUX AUSSI ONT UNE VIE ! UNE FAMILLE À NOURRIR !

ROBIN, TU COMMENCES À ME FATIGUER !

TU JOUERAS LES BONS SAMARITAINS AILLEURS QU'ICI, ENTENDU ?

TU SAIS TRÈS BIEN CE QUE ÇA IMPLIQUE...

... PUISQUE TU AS RÉUSSI À PORTER CETTE FABRIQUE À CE NIVEAU AUJOURD'HUI...

...

135

LES OUVRIERS NE SONT PAS QUE DES TRAVAILLEURS ! C'EST AUSSI UNE SOUPAPE DE SÉCURITÉ POUR LES CAPITALISTES !

RÉGLONS LEUR NOMBRE EN FONCTION DE LA DEMANDE !

LES GENS DANS NOTRE SITUATION SONT DE PLUS EN PLUS NOMBREUX...

... M'SIEUR LE DIRECTEUR...

CERTES, JE SUIS PEUT-ÊTRE PARVENU...

... À DE BEAUX RÉSULTATS...

TU SAIS TRÈS BIEN CE QUE ÇA IMPLIQUE...

... PUISQUE TU AS RÉUSSI À PORTER CETTE FABRIQUE À CE NIVEAU AUJOURD'HUI...

...

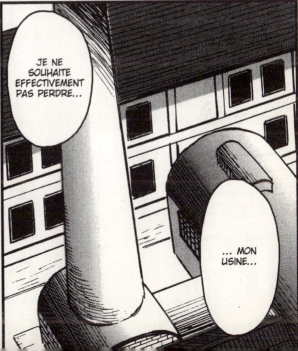

JE NE SOUHAITE EFFECTIVEMENT PAS PERDRE...

... MON USINE...

PEU IMPORTE LA FORME QU'ELLE A...

... UNE ENTREPRISE CAPITALISTE CHERCHERA TOUJOURS À FAIRE DU PROFIT...

ET POUR NE PAS PERDRE SES PARTS DE MARCHÉ, ELLE CHERCHERA À TOUJOURS MIEUX S'ÉQUIPER...

CE QUI ENTRAÎNE UNE GRANDE CONTRADICTION ...

PLUS LES MACHINES SONT PERFORMANTES, PLUS ELLES PRENNENT LA PLACE DES OUVRIERS...

BIEN ENTENDU,
CE PHÉNOMÈNE
NE CONCERNE
PAS QUE
L'ACTIVITÉ DE
ROBIN OU DE
DANIEL...

MAIS TOUS LES
DOMAINES
EXISTANTS
!

REGARDEZ
AUTOUR
DE VOUS !

NOUS
CROULONS
SOUS LES
CHOSES ET
LES OBJETS
!

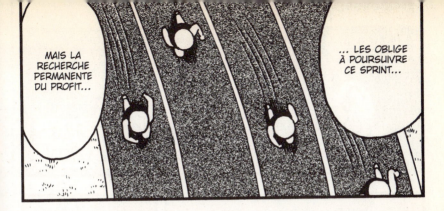

MAIS LA RECHERCHE PERMANENTE DU PROFIT...

... LES OBLIGE À POURSUIVRE CE SPRINT...

VAINCRE OU ÊTRE VAINCU...

CAR SI LA CRISE VIENT À POINTER LE BOUT DE SON NEZ...

... SEULS LES PLUS FORTS ET LES PLUS RAPIDES PARVIENDRONT À SURVIVRE...

FUUU FUUU

LES BANQUES ET LA SURACCUMULATION

VOUS BAISSEZ LE VOLUME DE VOS COMMANDES ?

OUI... IL FAUT DIRE QUE LES VENTES DANS LES BOUTIQUES SONT EN BAISSE...

MAIS MONSIEUR ROBIN...

LA CONCURRENCE EST EN EFFET DE PLUS EN PLUS RUDE ! NE DEVRIEZ-VOUS PAS...

... JUSTEMENT ME COMMANDER PLUS POUR QUE...

...

NON, IL FAUT DIMINUER...

MAIS SI VOUS...

JE NE PEUX PAS STOPPER MES LIGNES, MOI !

ET JE N'AI NULLE PAR OÙ STOCKER MES MACHINES SI...

SURTOUT QUE JE N'AI PAS ENCORE FINI DE REMBOURSER MON EMPRUNT SUITE À MON AGRANDISSEMENT ...

VOUS VOULEZ VENDRE DES ACTIONS ?

DISONS QUE JE NE PEUX PLUS ME PERMETTRE D'ATTENDRE LE PAIEMENT DE CERTAINS CLIENTS...

JE VOIS...

JE PEUX VOUS EN ACHETER MAIS CE SERA À MON PRIX, ENTENDU ?

HMMM...

JE CROIS BIEN QUE JE N'AI PAS LE CHOIX, DE TOUTE FAÇON...

DANS CE CAS...

TENEZ, VOICI 500G POUR CE QUE VOUS ME PROPOSEZ...

QU... 500G ?!?

MAIS LES PARTS DE MON ENTREPRISE VALENT POURTANT BEAUCOUP PLUS !

COMPTE TENU DE VOTRE RENTABILITÉ PRÉVISIONNELLE, C'EST PLUTÔT BIEN PAYÉ...

MA RENTABILITÉ PRÉVISION- NELLE ?

MAIS COMMENT VOULEZ-VOUS QUE JE REMBOURSE MON EMPRUNT AVEC SI PEU ? JE NE PASSERAI PAS L'ANNÉE...

145

PRÉSIDENT
...

MONSIEUR DANIEL EST ARRIVÉ POUR VOTRE RENDEZ-VOUS...

AH, DANIEL ! JE VOUS ATTENDAIS...

BON, ON SE REVOIT UN JOUR PROCHAIN ?

MAIS ATTENDEZ ! NOUS N'AVONS PAS TERMINÉ ET...

ON CONTINUERA LA PROCHAINE FOIS...

MAIS ALLEZ-VOUS FINIR PAR COMPRENDRE QU'IL N'Y AURA PEUT-ÊTRE PLUS DE "PROCHAINE FOIS" ?

MON-SIEUR...

LA VALEUR DE L'ARGENT ÉVOLUE SANS ARRÊT...

1G D'AUJOURD'HUI N'AURA SÛREMENT PAS LA MÊME VALEUR QU'1G DANS 10 ANS...

QUAND VOUS ÉTIEZ PETIT, SOUVENEZ-VOUS DE TOUT CE QUE VOUS POUVIEZ VOUS OFFRIR POUR 1G !

CE QUE JE VEUX DIRE PAR LÀ...

C'EST QU'UNE BANQUE NE PEUT PAS NON PLUS SE PERMETTRE DE RISQUER DE PERDRE SON ARGENT. NE LEUR EN VOULEZ PAS...

HA HA HA ! VOUS AVEZ RAISON...

...

COMMENT VOULEZ-VOUS QUE JE PRÉVOIE LES DIX PROCHAINES ANNÉES ?

DÉJÀ QUE JE NE SAIS PAS DE QUOI SERA FAIT DEMAIN !

JE RISQUE D'Y LAISSER MA PEAU, MOI !

BON DÉBARRAS...

JE NE SAIS PLUS QUOI FAIRE AVEC LES GENS COMME LUI. IL Y A TELLEMENT DE TYPES DANS SON CAS, QUI NE REGARDENT QUE LE BOUT DE LEUR NEZ...

RIEN DE TEL...

... QUE DES PARTENAIRES DANS VOTRE GENRE, EN QUI L'ON PEUT AVOIR CONFIANCE...

MAIS IL N'EMPÊCHE QUE VOUS VOUS TROUVEZ AUSSI DANS UNE DRÔLE DE SITUATION...

ON NE PEUT RIEN VOUS CACHER, HA HA HA !

VOUS AVEZ L'AIR ENNUYÉ...

IL FAUT DIRE QUE LES CRÉANCES DOUTEUSES SONT NOMBREUSES EN CE MOMENT...

... ET QUE LA BANQUE CENTRALE ME LIGOTE DE PLUS EN PLUS...

ON DIRAIT QUE LA BOURSE ET L'IMMOBILIER SONT EN TRAIN DE CHUTER, OUI...

149

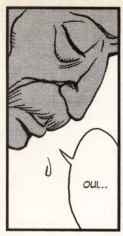

LA SITUATION N'EST PAS SIMPLE POUR VOUS NON PLUS...

OUI...

AVEC DES CRÉDITS LIMITÉS, LA SITUATION NE PEUT QU'EMPIRER...

ET SI LA CONFIANCE DES BANQUES EST PERDUE, ALORS C'EN EST FINI...

LES BANQUES JOUENT UN RÔLE DE LUBRIFIANT POUR LA MÉCANIQUE ÉCONOMIQUE...

MAIS CE SONT AUSSI CES ÉTABLISSEMENTS DE CRÉDIT QUI PROVOQUENT DES SITUATIONS D'ÉCHECS.

RAPPELEZ-VOUS QUE LES BILLETS, À L'ORIGINE, REMPLACENT L'OR...

ET CET OR, QUE LES OUVRIERS ONT DUREMENT GAGNÉ AU LABEUR...

OÙ CROYEZ-VOUS QU'IL SE TROUVE ?

IL EST EN TRÈS GRANDE MAJORITÉ CONSERVÉ DANS LES COFFRES DES BANQUES.

UN BILLET DE BANQUE...

... EST UN BON D'ÉCHANGE CONTRE UNE PORTION DU MÉTAL PRÉCIEUX.

MAIS PERSONNE AUJOURD'HUI NE VIENT PLUS EN ÉCHANGER.

LES BANQUES FONT LA PROMESSE QUE LES DÉPOSANTS POURRONT RETIRER LEUR ARGENT N'IMPORTE QUAND...

C'EST SUR DES LIENS DE CONFIANCE QUE NOUS ALLONS, RÉGULIÈREMENT, LEUR PORTER NOS ÉCONOMIES. C'EST AUSSI SUR LA CONFIANCE QUE NOUS N'ÉCHANGEONS JAMAIS NOTRE ARGENT EN OR.

BREF, NOS LIENS AVEC LES BANQUES FONCTIONNENT SUR LA CONFIANCE !

RASSURÉS, NOUS LEUR CONFIONS NOTRE ARGENT.

LA PLUPART DES TRANSFERTS QUI S'OPÈRENT CONCERNANT L'ARGENT NE PASSENT D'AILLEURS QU'ENTRE COMPTES BANCAIRES.

AUTREMENT DIT, LORS DE MOUVEMENTS BANCAIRES, LES BANQUES N'ONT MÊME PLUS BESOIN DE PRÉPARER LA SOMME D'OR CORRESPONDANTE, NI MÊME LA MONNAIE.

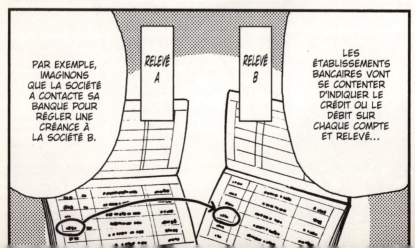

PAR EXEMPLE, IMAGINONS QUE LA SOCIÉTÉ A CONTACTÉ SA BANQUE POUR RÉGLER UNE CRÉANCE À LA SOCIÉTÉ B.

RELEVÉ A

RELEVÉ B

LES ÉTABLISSEMENTS BANCAIRES VONT SE CONTENTER D'INDIQUER LE CRÉDIT OU LE DÉBIT SUR CHAQUE COMPTE ET RELEVÉ...

BIEN ENTENDU, IL EST NÉCESSAIRE QUE LES BANQUES POSSÈDENT UN MINIMUM DE RÉSERVES EN FONCTION DES DÉPÔTS ET DES RETRAITS.

C'EST CE QU'ON APPELLE LE "POURCENTAGE DE RÉSERVE".

IMAGINONS QUE LE POURCENTAGE DE RÉSERVE EST DE 10%.

DÉPOSANT

BANQUE

DÉPÔT

1000G

DÉPOSANT A

ET QU'UN DÉPOSANT A CONFIÉ 1000G À UNE BANQUE.

CETTE DERNIÈRE VA PRENDRE 100G SUR CES 1000G ET LES GARDER EN RÉSERVE DE MONNAIE POUR LES ACTIONS COURANTES.

BANQUE

1000G

LES 900G RESTANT VONT PAR EXEMPLE ÊTRE RÉUTILISÉS POUR AIDER AU FINANCEMENT DE PROJETS D'UNE AUTRE SOCIÉTÉ B.

RÉSERVES OBLIGATOIRES DE 10%

100G

FINANCEMENT

SOCIÉTÉ B

900G

BANQUE

900G

POURCENTAGE
DE RÉSERVE DE 10%

90G

FINANCEMENT

SOCIÉTÉ D

810G

EN RÉPÉTANT CETTE ACTION, LES BANQUES PARTICIPENT AU PROCESSUS CONSISTANT À AUGMENTER LA MASSE MONÉTAIRE EN CIRCULATION.

ET AINSI DE SUITE, LES 900G DE LA SOCIÉTÉ C SERONT MIS À DISPOSITION, APRÈS AVOIR RETENU LES 10% DE RÉSERVES OBLIGATOIRES, À HAUTEUR DE 810G ET ÊTRE PRÊTÉS À LA SOCIÉTÉ D.

C'EST CE QU'ON APPELLE "LA CRÉATION MONÉTAIRE".

MAIS UN BEAU JOUR...

... QUE SE PASSERA-T-IL SI LA SOCIÉTÉ B, QUI A REÇU UN FINANCEMENT, NE PARVIENT PLUS À REMBOURSER SON EMPRUNT À LA BANQUE ?

LA CRÉATION MONÉTAIRE EST BASÉE SUR LA CAPACITÉ QU'ONT LES CRÉANCIERS À POUVOIR REMBOURSER LES EMPRUNTS ALLOUÉS PAR LES BANQUES...

LA CONFIANCE

DETTES

ET SI UNE ENTREPRISE NE PEUT PLUS REMBOURSER...

DETTES

LES CRÉANCES IRRÉCOU- VRABLES AUGMENTENT ...

LA BANQUE VOIT SES RÉSERVES ET SES FONDS DIMINUER.

J'AI BESOIN D'UN CRÉDIT !

ELLE HÉSITE DE PLUS EN PLUS À PRÊTER DE L'ARGENT AUX ENTREPRISES ET REFUSE MÊME QUAND ELLE N'A PAS CONFIANCE.

IMPOSSIBLE !

OR, TOUTES LES SOCIÉTÉS QUI COMPTAIENT SUR CES AIDES POUR CONTINUER LEURS ACTIVITÉS SE RETROUVENT DANS L'IMPASSE. BEAUCOUP VONT COULER.

L'ONDE DE CHOC SE PROPAGE ALORS, COMME UNE CHUTE DE DOMINOS, VERS TOUS LEURS PARTENAIRES...

LES CRÉANCES DOUTEUSES, TOUJOURS PLUS NOMBREUSES, VONT ENTRAÎNER LA SITUATION FINANCIÈRE DES BANQUES DANS UN GOUFFRE.

RENDEZ-NOUS NOTRE ARGENT!

ON IMAGINE AISÉMENT QUE LES PETITS DÉPOSANTS, QUI AVAIENT CONFIANCE EN LEUR BANQUE, VONT ESSAYER DE RÉCUPÉRER LEURS ÉCONOMIES DUREMENT GAGNÉES...

ET QUAND LA BANQUE COMMENCE À FLÉCHIR...

... LES MOUVEMENTS D'ARGENT QUI CONSTITUENT LA CIRCULATION SANGUINE DE L'ÉCONOMIE CAPITALISTE VONT STOPPER...

... ET PROVOQUER UNE GRAVE CRISE FINANCIÈRE...

CE QUI ATTEND
LE CAPITALISTE
AU BOUT DE SA
NAGE EFFRÉNÉE
EN EAUX
TUMULTUEUSES...

... C'EST
UNE
TORNADE
GÉANTE !

LES CRISES DU CAPITALISME

...

BLA
BLA

...

QU'EST-CE QUE VOUS AVEZ FAIT DE NOTRE ARGENT !

QUI VOUS A PERMIS DE DÉPENSER NOS ÉCONOMIES !

WHAAA !

WHAAA !

EXCUSEZ-MOI... MAIS QUE SE PASSE-T-IL À LA BANQUE ?

J'EN SAIS TROP RIEN MAIS VISIBLEMENT, LES CAISSES SONT VIDES...

J'AI TRAVAILLÉ TOUTE MA VIE POUR ÉCONOMISER CET ARGENT !

RENDEZ-LE-MOI !

...

IL N'Y A PLUS D'ARGENT À LA BANQUE ?

MAIS... QU'EST-CE QUE CELA SIGNIFIE ?

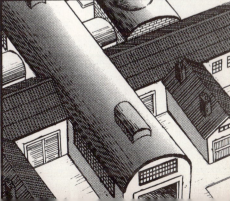

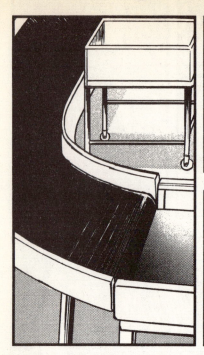

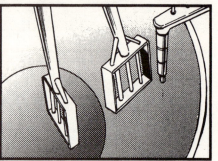

LES CHAÎNES INACTIVES SONT DE PLUS EN PLUS NOMBREUSES...

OUI...

NOS RÉSULTATS SONT EN CHUTE LIBRE...

HMM...

BAH, TU SAIS, C'EST VISIBLEMENT PARTOUT PAREIL...

LE CERCLE VICIEUX DE CE PROCESSUS TERMINE TOUJOURS SUR UNE CRISE ÉCONOMIQUE...

DE NOMBREUSES USINES FERMENT LEURS PORTES...

J'AI ÉGALEMENT ENTENDU DIRE QUE DE NOMBREUX PARTICULIERS EN COLÈRE SONT VENUS EN MASSE À LA BANQUE...

SI LA SITUATION S'AGGRAVE, J'AI PEUR QUE CETTE CRISE NE TERMINE EN ÉMEUTES...

OUI...

QU'ALLONS-
NOUS
DEVENIR ?

SI
TU VEUX
MON AVIS,
ROBIN...

C'EST BIENTÔT
LE MEILLEUR
MOMENT POUR
INVESTIR DANS
DE NOUVEAUX
BUSINESS...

HMM...

...

TU
N'ES PAS
D'ACCORD
?

NON. VOUS
SAVEZ, NOUS
N'AVONS PAS
LES MÊMES
AMBITIONS...

COMMENT DIRE...

MOI, J'EN AI ASSEZ...

ASSEZ ?

TU VEUX DIRE QUE TU PENSES AVOIR AMASSÉ SUFFISAMMENT D'ARGENT ?

JE CROIS SINCÈREMENT QUE L'IDÉAL, C'EST UNE VIE DE CLASSE MOYENNE...

EXERCER UN TRAVAIL QUI NE RÉDUISE PAS MES FORCES À NÉANT TOUS LES SOIRS...

ET NE PAS AVOIR LES SOUCIS ET LES VICES DES RICHES À QUI IL EN FAUT TOUJOURS PLUS...

IL ME SEMBLE QUE C'ÉTAIT LES DERNIÈRES PAROLES DE TA MÈRE, N'EST-CE PAS ?

OUI...

ET VOUS, QU'EN PENSEZ-VOUS, DANIEL ?

JE N'EN PENSE RIEN.

JE SUIS UN INVESTISSEUR. ET TOUT CE QUI M'INTÉRESSE, C'EST DE SAVOIR SUR QUOI JE VAIS BIEN POUVOIR M'ENRICHIR LA PROCHAINE FOIS...

POUR MOI, CE N'EST NI DE L'ENVIE, NI DU VICE. CE N'EST QU'UN JEU.

DANS LEQUEL IL Y A DES GAGNANTS ET DES PERDANTS.

MAIS MOI, JE FAIS BIEN SÛR PARTIE DES GAGNANTS.

DANIEL...

MAIS TOUS NOS OUVRIERS QUI SONT RESTÉS, VOUS...

NE T'EN FAIS PAS, JE M'EN OCCUPERAI DANS LES PROCHAINS JOURS...

TOI, TU PEUX REPARTIR VIVRE TA VIE DE "CLASSE MOYENNE" L'ESPRIT TRANQUILLE !

MONSIEUR !

IL FAUT FAIRE QUELQUE CHOSE ! ON NE VA PLUS POUVOIR CONTENIR LA FOULE TRÈS LONGTEMPS !

IL N'Y A PLUS RIEN À FAIRE ! C'EST TROP TARD !

MAIS...

TOUT ÇA N'EST PAS DE MA FAUTE

JE NE SAIS MÊME PAS À QUI REVIENT LA RESPON-SABILITÉ DE CETTE CRISE !

WHAAA !

WHAAA !

HAAA

HAAA

LAISSONS LE GOUVERNEMENT SE DÉPATOUILLER AVEC CETTE AFFAIRE !

MONSIEUR...

HAAA

HAAA

ET
MERDE...

...

MONSIEUR LE
DIRECTEUR...

...?

ET VOUS
VOULIEZ VOUS
METTRE TOUT
ÇA DANS LA
POCHE ?

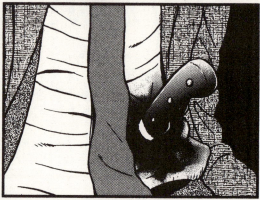

QU...
NON !
ATTENDS
!

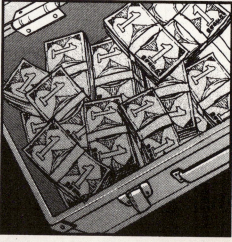

JE VEUX JUSTE RÉCUPÉRER MES 100G !

LE RESTE, JE M'EN FICHE ! MES 100G !

...

TIENS, VOILÀ 200 !

MAINTENANT, DISPARAIS !

SALUT PAPA...

J'AI DÉMISSIONNÉ DE L'USINE...

...

QUEL TEMPS PERDU...

SI TU NOUS AVAIS ÉCOUTÉS, TA MÈRE ET MOI...

OUI...

TON USINE EST FERMÉE ?

DANIEL VA TROUVER QUELQU'UN POUR LA REPRENDRE...

JE NE PENSE PAS QU'IL LA FERME. IL VA SÛREMENT DIMINUER SA TAILLE...

JE VOIS...

ÇA PROUVE BIEN QU'IL PEUT TE REMPLACER COMME ON REMPLACE UN PION MANQUANT...

178

PAR CONTRE, ICI, PERSONNE NE PEUT SE SUBSTITUER À TOI, TU COMPRENDS ?

GRAVE BIEN CELA DANS TON ESPRIT !

...

OUI...

MAIS N'ALLEZ PAS BLÂMER LES CRISES !

EN EFFET, CE SONT ELLES QUI VONT RÉTABLIR L'ÉQUILIBRE ENTRE L'OFFRE ET LA VÉRITABLE DEMANDE. MAIS APRÈS QUELS DÉGÂTS ?

M... MONSIEUR MARX ! VOUS ÊTES VIVANT !

ET PLUS QUE JAMAIS, SACREBLEU !

EN FAIT, JE SUIS SURTOUT VIVANT DANS LES MÉMOIRES !

IL EST VRAI QUE JE T'AI LAISSÉ ÉCRIRE TOUTE LA PARTIE DE MON ŒUVRE QUI MANQUAIT...

...

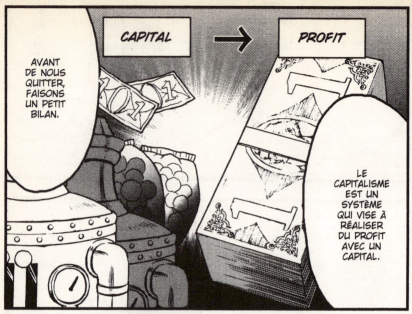

CAPITAL → PROFIT

AVANT DE NOUS QUITTER, FAISONS UN PETIT BILAN.

LE CAPITALISME EST UN SYSTÈME QUI VISE À RÉALISER DU PROFIT AVEC UN CAPITAL.

ET CE PROFIT, C'EST LA "PLUS-VALUE".

CETTE DERNIÈRE S'OBTIENT GRÂCE AU TRAVAIL DU PROLÉTARIAT.

LE BUT DU JEU, POUR LES CAPITALISTES, EST D'ARRIVER À PROFITER AU MAXIMUM DES TRAVAILLEURS POUR GÉNÉRER LE PLUS DE PROFITS POSSIBLE !

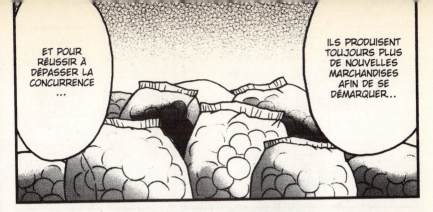

ET POUR RÉUSSIR À DÉPASSER LA CONCURRENCE ...

ILS PRODUISENT TOUJOURS PLUS DE NOUVELLES MARCHANDISES AFIN DE SE DÉMARQUER...

AFIN D'OBTENIR TOUJOURS PLUS, LES PATRONS N'HÉSITENT PAS...

... À MÉCANISER LEUR ENTREPRISE, À L'AGRANDIR, À LA MODERNISER !

MAIS C'EST À CET INSTANT BIEN PRÉCIS QUE LE CAPITALISME MONTRE SON VISAGE CONTRADICTOIRE ...

SOUVENEZ-VOUS...

LA PLUS-VALUE NE S'OBTIENT QU'AVEC LA FORCE DE TRAVAIL DES HOMMES, LE CAPITAL VARIABLE.

EN REVANCHE, LES MACHINES REPRÉSENTENT UN CAPITAL CONSTANT, QUI N'ENGENDRE PAS DE VALEUR AJOUTÉE.

MALGRÉ CELA, LES ENTREPRISES CONTINUENT DE S'ÉQUIPER EN MACHINES...

LES OUVRIERS SONT PETIT À PETIT LICENCIÉS ET REMPLACÉS PAR LA MÉCANIQUE...

EN DIMINUANT SES EFFECTIFS, L'ENTREPRISE VA PEUT-ÊTRE...

... ACCROÎTRE SES PROFITS. MAIS DANS LE MÊME TEMPS, C'EST SON TAUX DE PROFIT ET DONC SA RENTA-BILITÉ QUI VONT FORTEMENT BAISSER !

EN D'AUTRES TERMES, LES PATRONS PROVOQUENT EUX-MÊMES LEURS PERTES...

UNE NAGE EN EAUX TROUBLES COMMENCE...

PLUS GRAND ! PLUS VITE ! PLUS MODERNE !

ET QUAND ILS COMMENCENT À FATIGUER...

ILS S'UNISSENT ET FUSION- NENT...

POUR AVANCER, TOUJOURS DANS LA MÊME DIRECTION.

ON VOIT DE NOMBREUX PAYS SE LANCER DANS LA COURSE À LA CROISSANCE...

POUR Y PARVENIR PLUS FACILEMENT, CERTAINS N'HÉSITENT PAS À ENVAHIR ET COLONISER D'AUTRES PEUPLES.

ILS EXPLOITENT DE PAUVRES GENS À DES TÂCHES LABORIEUSES ET HONTEUSEMENT RÉMUNÉRÉES...

LE FOSSÉ ENTRE RICHES ET PAUVRES SE CREUSE...

ET POURTANT, CETTE RÉALITÉ NE SEMBLE PAS CALMER LES ARDEURS DES CAPITALISTES QUI CONTINUENT DE SE LIVRER À CETTE COURSE INCESSANTE...

PARTIE AU XVIᵉ SIÈCLE DE QUELQUES PAYS OÙ RÉGNAIT LA FÉODALITÉ...

... L'OMBRE NÉFASTE DU CAPITALISME RECOUVRE LA PLANÈTE ENTIÈRE.

CETTE OMBRE PROVOQUE DES EFFETS DÉVASTATEURS...

DANS CERTAINS PAYS, DES MILLIONS D'ENFANTS SONT EXPLOITÉS DANS DES CONDITIONS DÉPLORABLES...

ILS SONT RENDUS ESCLAVES DU SYSTÈME...

CERTAINES PETITES FILLES SONT MÊMES VENDUES À LA PROSTITUTION...

C'EST L'OMBRE ET LA LUMIÈRE DE L'OFFRE ET DE LA DEMANDE...

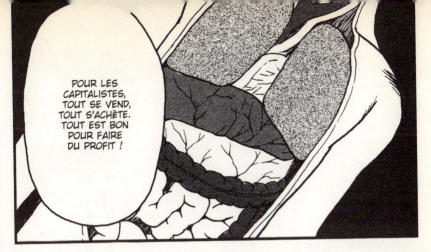

POUR LES CAPITALISTES, TOUT SE VEND, TOUT S'ACHÈTE. TOUT EST BON POUR FAIRE DU PROFIT !

NOUS CROULONS SOUS LES MARCHANDISES ...

ET VOUS ? SACHANT TOUT CELA, CONTINUEZ-VOUS DE PENSER QUE CE SYSTÈME EST JUSTE ?

Pour en savoir plus,
lisez Marx dans le texte
aux éditions Demopolis :

QU'EST CE QUE LE CAPITALISME
VOLUME 1 : LES MYSTÈRES DE LA PLUS-VALUE
PRÉFACE DE GÉRARD MORDILLAT

LES CRISES DU CAPITALISME
PRÉFACE DE DANIEL BENSAÏD

Écrivez-nous à :
Soleil Manga
8, rue Léon Jouhaux
75010 Paris - France
manga@soleilprod.com

Titre original : "MANGA DE DOKUHA: DAS KAPITAL 2" by Karl Heinrich Marx
Copyright © VARIETY ART WORKS, EAST PRESS CO., LTD.
All right reserved.
Original Japanese edition published by EAST PRESS CO., LTD.
This French edition is published by arrangement with EAST PRESS CO., LTD., Tokyo
in care of Tuttle-Mori Agency, Inc., Tokyo

© 2014 Éditions Soleil pour l'édition en langue française
15, bd de Strasbourg
83000 Toulon - France
Conception et adaptation graphique : Studio Soleil
Traduction : Florent Gorges
Adaptation : Demopolis
Lettrage : Studio Charon
Dépôt légal : Janvier 2011
ISBN : 978-2-30201-396-4
Impressiòn : Ercom - Italie